POUR EN FINIR
AVEC LA REPENTANCE
COLONIALE

Chez le même éditeur

Ken Alder, *Mesurer le monde. L'incroyable histoire de l'invention du mètre.*

Alessandro Barbero, *Waterloo.*

Elie Barnavi, *Les Religions meurtrières.*

Jérôme Baschet, *La Civilisation féodale. De l'an mil à la colonisation de l'Amérique.*

Rony Brauman, Alain Finkielkraut et Elizabeth Lévy, *La Discorde. Israël-Palestine, les juifs et la France.*

Alain Demurger, *Croisades et croisés au Moyen Âge.*

Bernard Gazier et Peter Auer, *L'Introuvable Sécurité de l'emploi.*

Gilles Havard et Cécile Vidal, *Histoire de l'Amérique française.*

Augustin Landier et David Thesmar, *Le Grand Méchant Marché.*

Hubert Védrine, *Continuer l'histoire.*

Laurent Vidal, *Mazagão, la ville qui traversa l'Atlantique.*

Daniel Lefeuvre *2080708*

POUR EN FINIR
AVEC LA REPENTANCE
COLONIALE

Champs actuel

Introduction

Après celle de la guerre d'Algérie, une nouvelle génération d'anticolonialistes s'est levée. Courageuse jusqu'à la témérité, elle mène combat sur les plateaux de télévision et dans la presse politiquement correcte. Multipliant les appels ou les pétitions en faveur des « indigènes de la République », elle exige de la France, de la République et des Français qu'ils expient ce huitième péché capital traqué avec obstination dans les moindres replis de la conscience nationale : notre passé colonial et son héritage.

La discrimination sociale dont sont victimes les jeunes Français – et les immigrés – noirs et arabes de nos banlieues et de nos quartiers déshérités ? Héritage colonial ! Le racisme de la police ou de l'administration ? Héritage colonial ! L'échec scolaire ? Héritage colonial ! La difficile insertion de l'islam dans l'espace national ? Héritage colonial ! Et lorsque la justice condamne un jeune délinquant, pour peu qu'il soit arabe ou noir, c'est encore l'œuvre d'une justice toujours coloniale ! Car, un demi-siècle après la fin de la décolonisation, l'esprit des « Bureaux arabes » créés par l'administration française en Algérie perdure sournoisement au sein des institutions de la République. Rien ne serait plus urgent que d'extirper les séquelles immondes du colonialisme qui corrompent, aujourd'hui encore, la société française.

Aussi, d'ouvrages en articles, de radios en télévisions, les Repentants se sont-ils lancés dans cette salutaire mission : éveiller les Français au devoir de mémoire qu'il leur faut accomplir par rapport à leur histoire coloniale, érigée en nouveau « passé qui ne passe pas », par analogie avec les pages sombres de la France de Vichy.

Sur quoi repose le procès intenté à la colonisation française ?

Première accusation, la conquête coloniale, au XIXᵉ siècle, fut une œuvre d'extermination, inscrite dans la continuité des horreurs de la traite négrière et de l'esclavage, et grosse des « Oradours » qui ont ensanglanté l'Indochine, l'Algérie ou Madagascar au temps des guerres d'indépendance. C'est bien la conclusion d'Olivier Le Cour Grandmaison, auteur d'un ouvrage paru en 2005, intitulé *Coloniser. Exterminer* : « Massacres organisés d'individus désarmés ("enfumades"), razzias systématiques destinées à terroriser et à chasser les populations de leurs villages en y rendant la vie impossible, destruction de villes et bourgades. Et, déjà, le recours à la torture, les exécutions sommaires et la mutilation des corps. On assiste ainsi à une extraordinaire "brutalisation" des conflits coloniaux *via* la militarisation complète de l'économie, de l'espace et des populations. Ce processus résulte de l'abolition consciente, méthodique et durable de la distinction essentielle entre soldats et civils, champs de bataille et zones hors combat. Par opposition aux guerres conventionnelles, il me semble donc possible d'analyser les guerres coloniales comme des guerres totales, au sens où aucune borne ne subsistait, ni territoriale ni humaine[1]. »

Au cœur de ce raisonnement, on trouve l'affirmation de la suppression de toute frontière entre soldats et civils, tout Arabe étant considéré *a priori* comme un ennemi potentiel. Quelque précaution que l'auteur prenne pour justifier l'emploi du mot « extermination » dans le titre de son livre, c'est bien de cela qu'il s'agit. Une extermination des Algériens qui ne serait d'ailleurs pas une conséquence malheureuse, inévitable, hélas ! de la conquête, mais une extermination voulue, recherchée par le conquérant, afin de libérer la terre pour l'offrir aux colons. Pour Olivier Le Cour Grandmaison, en effet, il y a bien intentionnalité dans

1. Entretien d'Olivier Le Cour Grandmaison avec Alexandra Laignel-Lavastine, *Libération*, 11 février 2005.

l'extermination, celle-ci étant jugée nécessaire à la réussite de l'œuvre coloniale.

Qui dit extermination dit pages les plus noires de l'histoire de l'Europe : et voilà comment la colonisation enfanterait le nazisme. J'exagère ? Lisez donc Gilles Manceron, vice-président de la Ligue des droits de l'homme : « Il n'est pas illégitime de rapprocher les manifestations les plus aiguës de la violence coloniale de celle que les conquérants nazis ont déployée en Europe[1]. » Hitler, fils spirituel de Gambetta ou de Ferry, la division Das Reich, l'héritière des colonnes mobiles de Bugeaud ! C'est tout le but du *Livre noir du colonialisme*, publié en 2003, de nous convaincre de cette filiation : déniant aux « indigènes » d'Afrique et d'Asie le bénéfice des droits de l'homme proclamés en août 1789, les hommes d'État français, de la monarchie de Juillet jusqu'à de Gaulle, ont bâti un système fondé sur la distinction radicale, irréductible, entre l'indigène – dépossédé de tout droit, voire déshumanisé – et le citoyen. Les chantres de la colonisation, qui furent aussi les pères du régime républicain, portent donc une lourde responsabilité car ils ont posé les fondations du totalitarisme dont, au fond, le nazisme ne serait qu'un avatar dilaté.

Il est revenu à Abdelaziz Bouteflika de mener à son terme cette comparaison. Lors de la commémoration des massacres qui ensanglantèrent le

1. G. Manceron, *Marianne et les colonies, Une introduction à l'histoire coloniale de la France*, La Découverte, 2003, p. 295.

Constantinois en mai 1945, le président algérien n'a pas hésité, en 2005, à assimiler la France coloniale – dont la présence en Algérie est toujours qualifiée d'« occupation » dont les harkis auraient été les « collabos » – à l'Allemagne de Hitler : « Qui ne se souvient des fours de la honte installés par l'occupant dans la région de Guelma, au lieu-dit El Hadj-Mabrek ? [...] Ces fours étaient identiques aux fours crématoires des nazis. » L'occupation « a adopté la voie de l'extermination et du génocide qui s'est inlassablement répétée durant son règne funeste »[1].

Autre accusation, moins grave, mais très répandue : la colonisation a été une entreprise de rapine. Les colonies ont offert à la France les débouchés et les matières premières nécessaires à son économie, ainsi que des placements rentables et sûrs au trop-plein de ses capitaux. Elles ont permis à l'industrie métropolitaine de tourner et contribué à éloigner le chômage et la crise sociale. Tout cela, bien sûr, au profit des seuls conquérants, qui se sont engraissés sur le dos des colonisés. En résumé, la France a conduit un véritable pillage aux colonies, dont le sous-développement est une séquelle scandaleuse.

---

1. Texte de A. Bouteflika lu par son ministre des Anciens combattants, Chérif Abbas, le 6 mai 2005, au colloque organisé par l'université Ferhat-Abbas de Sétif.

Et l'exploitation ne s'est pas arrêtée là : que dire des travailleurs coloniaux, lointains héritiers de la main-d'œuvre servile que les négriers européens allaient quérir sur les côtes de l'Afrique ? Requis en 14-18 pour participer à l'effort de guerre français, on les a fait venir, toujours plus nombreux, dans les usines métropolitaines. C'est sur eux qu'on s'est déchargé des tâches les plus ingrates, les plus dangereuses et les moins bien rémunérées ; ils ont relevé la France exsangue au lendemain des deux guerres mondiales, ils ont été les bras de la croissance des Trente Glorieuses. On les a fait venir, avec la ferme intention de ne pas les garder, bien sûr.

Tout comme les saignées de Diafoirus témoignaient de l'incapacité du bon docteur à formuler un diagnostic exact de la maladie, le prêche des sectateurs de la repentance coloniale repose sur une suite d'ignorances, d'occultations et d'erreurs, voire de contrevérités. Le devoir de mémoire qu'ils cherchent à imposer est celui d'une mémoire artificielle, construite pour les besoins de leur cause et qui produit, en réalité, une perte de savoir réel, tout en témoignant d'un déni de l'Histoire : car, alors même qu'ils s'en réclament, ils en bafouent les exigences et en piétinent les méthodes.

Plutôt qu'un Livre noir, c'est un Roman noir du colonialisme que les Repentants nous livrent.

Leur Histoire n'est pas une histoire *de* la colonisation, mais un simple florilège de discours tenus *sur* la colonisation : un collage de fragments de textes ou d'images, dont la sélection relève de l'arbitraire. Un collage qui méprise un principe tout simple, mais essentiel : la chronologie. Pour eux, le temps colonial est immuable, caractérisé par une continuité sans faille des principes et des pratiques. Car les Repentants entendent révéler la « nature [1] » de l'État colonial et non pas en écrire l'histoire. On pourrait, et certains ne s'en privent d'ailleurs pas, écrire avec ce même procédé un Livre blanc de la colonisation. Rien ne serait plus facile, en effet, que de faire un volume de citations à la gloire de l'œuvre coloniale de la France, y compris tirées d'auteurs « indigènes ».

De la même manière, les hommes du passé sont jugés à l'aune des critères moraux, voire judiciaires, actuels. Colbert, Gambetta et Jules Ferry, Bugeaud, Gallieni, Lyautey et bien d'autres encore relèveraient ainsi d'un nouveau Nuremberg. On sombre là dans « le sacrilège de l'anachronisme », ce péché mortel des historiens, dénoncé naguère par Lucien Febvre [2].

---

1. O. Le Cour Grandmaison, *Coloniser, Exterminer. Sur la guerre et l'État colonial*, Fayard, 2005, p. 21.

2. L. Febvre, *Le Problème de l'incroyance au XVIᵉ siècle : la religion de Rabelais*, Albin Michel, 1942, rééd. 2003.

Peu importe, d'ailleurs, que les propos rapportés par les Repentants disent les opinions, les désirs, ou les rêves des auteurs cités, peu importe leur impact effectif sur les événements. Les représentations sont substituées au réel, les mots deviennent la seule réalité. Or, les historiens le savent, s'en tenir aux discours et à toute autre représentation n'éclaire en rien les politiques mises en œuvre dans les territoires colonisés. Il ne suffit pas, on le sait bien, qu'une loi soit votée pour qu'elle soit appliquée, et appliquée dans l'esprit du législateur. C'est pourquoi l'historien doit, inlassablement, établir les faits, les replacer dans l'environnement qui les a produits, en hiérarchiser l'importance, en comprendre la portée : c'est là le préalable à toute tentative de connaissance du passé. Tant pis si cette affirmation me vaut d'être accusé de défendre une conception positiviste, pire, ringarde, de l'Histoire.

Au total, à force de tordre les faits, de grossir certains événements, d'en taire d'autres, de généraliser à tous les espaces et à toutes les époques des épisodes circonscrits, la colonisation que les Repentants combattent n'entretient plus guère de lien avec les réalités, complexes et diverses, que les historiens rencontrent dans leurs recherches. Tout cela pourrait être insignifiant, si les médias, malheureusement, ne faisaient caisse de résonance.

Comme l'historien Daniel Rivet le relevait récemment[1], « la lecture du *Monde*, depuis juin 2000, installe le lecteur dans le malaise. Une fixation s'y opère sur la torture, les viols, les sévices exercés par la seule armée française au cours de la guerre d'Algérie. Les autres dimensions de la guerre sont occultées ». Deux années durant, *Le Monde* a mené une véritable campagne d'opinion, dont ses unes donnaient le ton : « La France face à ses crimes en Algérie » ; « Comment juger nos crimes en Algérie ? ».

L'entreprise change alors de dimension : elle alimente une campagne de dénigrement de la France et des Français eux-mêmes. En accusant son passé, c'est la République, ses valeurs et ses institutions que l'on cherche à atteindre, dans le but, avoué ou non, d'en saper les fondements. Ainsi, le discours sur la persécution dont l'islam aurait été la victime pendant la période coloniale n'a de sens que parce qu'il permet de présenter la « loi sur le voile » comme le prolongement du sectarisme colonial. On crée de toutes pièces un continuum islamophobe qui n'a jamais existé.

Car c'est cela, *in fine*, qu'il s'agit de prouver : les Français sont rongés par « la gangrène raciste,

1. D. Rivet, « Présence/absence des accords d'Évian et des premiers jours de l'indépendance algérienne dans quelques journaux français », communication au colloque *La Guerre d'Algérie dans la mémoire et l'imaginaire*, université Paris VII, novembre 2002.

dont les résultats de l'élection présidentielle d'avril-mai 2002 ont confirmé l'existence et dont l'un des atouts est d'apparaître comme le prolongement tacite d'une idéologie coloniale longtemps assenée par toutes les institutions du pays et jamais démentie officiellement[1] ». C'est à l'aune de cette grille de lecture qu'on nous somme d'analyser la société française, les Repentants ayant, opportunément, comblé le vide de la lutte des classes par la fracture coloniale.

Entre leurs mains, l'histoire endosse une nouvelle mission : elle est chargée désormais de dire le bien et non le vrai, elle doit juger plutôt qu'inviter à connaître et à comprendre. « Il faut condamner la colonisation solennellement, en portant sur elle un jugement historique et politique la désignant comme un crime, un crime contre l'humanité, la civilisation et les droits de l'homme », exige Gilles Manceron dans les dernières pages de *Marianne et les colonies*, usant du registre du procureur de la République plutôt que de celui de l'historien. Et cette condamnation doit, bien entendu, ouvrir droit à réparation car les Repentants posent « le principe selon lequel toute victime – ou ses descendants – a un droit imprescriptible à la reconnaissance morale du préjudice qu'elle a subi »[2].

Ici, comment ne pas sourire ? Fils d'Auvergnate et de Breton, dois-je demander le repentir de

---

1. G. Manceron, *Marianne et les colonies*, p. 9.
2. *Ibid.*, p. 14.

l'Italie et des Italiens pour les crimes qui ont accompagné la conquête romaine de la Gaule et pour l'acculturation – qui a conduit à un ethnocide – que les occupants ont imposée à mes ancêtres ? L'avocat de la Ligue des droits de l'homme n'aura aucun mal à défendre ma cause. La lecture de la *Guerre des Gaules* de César, dans laquelle il puisera, livre, en effet, un aperçu accablant sur les méthodes mises en œuvre par les Romains. C'est en contradiction absolue avec les règles humanitaires et, en particulier, avec les conventions de La Haye de 1899 et 1907, que César décide, en 53 avant Jésus-Christ, d'anéantir les Éburons révoltés. Lorsqu'il fait étrangler Vercingétorix en 46, il bafoue incontestablement la Convention de Genève de 1929 sur le traitement des prisonniers de guerre ! Peut-être pourrais-je ensuite obtenir quelques dédommagements sonnants et trébuchants ?

Comment ne pas s'inquiéter des dangers dont cette conception de l'histoire est porteuse ? Toutes les dictatures ont fait de la manipulation et de l'instrumentalisation de l'histoire un outil de pouvoir. En aucun cas l'État ne doit dicter leur devoir aux historiens : je partage l'indignation de ceux qui exigent l'abrogation de la loi du 23 février 2005 [1], « portant reconnaissance de la Nation et contribution nationale en faveur des Français rapatriés »,

---

1. À l'initiative de Claude Liauzu, professeur émérite à l'université Paris VII.

dont l'article 4 dispose que « les programmes scolaires reconnaissent en particulier le rôle positif de la présence française outre-mer, notamment en Afrique du Nord ». Mais je m'interroge aussi sur les raisons qui conduisent les pourfendeurs de cette loi à exonérer deux précédents tout aussi inacceptables : la loi Gayssot[1], naguère condamnée par deux grands historiens, anticolonialistes militants, Madeleine Rebérioux[2] et Pierre Vidal-Naquet, et la loi Taubira[3].

Comme Marc Bloch aimait à le rappeler, la compréhension du présent repose sur la connaissance du passé. Falsifier l'histoire, c'est tromper les citoyens, c'est fausser leur jugement. Sur un sujet aussi douloureux que le passé colonial de la France, et compte tenu de l'importance des enjeux dont

---

1. La loi du 13 juillet 1990 contre le racisme, dite loi Gayssot, définit le délit de « négation des crimes contre l'humanité », en particulier du génocide des Juifs pendant la Seconde Guerre mondiale.

2. M. Rebérioux, « Le génocide, le juge et l'historien », *L'Histoire*, n° 138, novembre 1990.

3. La loi du 21 mai 2001, dite loi Taubira, qualifie de crime contre l'humanité « la traite négrière transatlantique ainsi que la traite dans l'océan Indien d'une part, et l'esclavage d'autre part, perpétrés à partir du XVe siècle aux Amériques et aux Caraïbes, dans l'océan Indien et en Europe contre les populations africaines, amérindiennes, malgaches et indiennes ». Dans son article 2, elle impose aux programmes scolaires et aux programmes de recherche en histoire et en sciences humaines d'accorder à la traite négrière et à l'esclavage la place conséquente qu'ils méritent.

il est aujourd'hui investi, comment se résigner au silence ? Comment ne pas être tenté d'apporter quelques rectifications à ce bric-à-brac intellectuel ? C'est l'ambition de ce petit livre, dont l'Algérie coloniale constitue le centre de gravité – autant dire qu'il ne prétend nullement à l'exhaustivité.

1

Comment on refait l'Histoire

Le 31 janvier 1830, le gouvernement de Charles X décide de lancer une expédition contre la Régence d'Alger. Le 16 mai, un corps expéditionnaire de 37 000 hommes, rassemblé à Toulon et commandé par le ministre de la Guerre en personne, le comte de Bourmont, prend la mer sur 600 navires. Le 14 juin, il débarque dans la baie de Siddi Ferruch, à 26 kilomètres à l'ouest d'Alger. Le 5 juillet, alors que la ville est sous la menace de l'artillerie française, le dey Hussein signe la convention de reddition. Quelques heures plus tard, les troupes françaises pénètrent dans Alger, tandis que le dey prend le chemin de l'exil.

Au Parlement, partisans du retrait et « colonistes », comme on disait alors, s'opposent vigoureusement sur le sort à réserver à cette conquête. Une commission spéciale, créée pour en mesurer les avantages et les inconvénients, propose une occupation définitive qui prenne en considération les droits de la population indigène. Le 22 juillet

1834, une ordonnance royale entérine la souveraineté française qui, à cette date, se limite à Alger et à ses environs, ainsi qu'à quelques points d'appuis côtiers. C'est le début d'une période d'occupation restreinte qui se prolonge jusqu'en 1839, à quelques exceptions près : Bône est prise en 1832, Bougie en 1833, Constantine, surtout, le 13 octobre 1837, après un échec cuisant essuyé l'année précédente. Au plan militaire, hormis les expéditions contre Constantine, ces premières années sont marquées par des opérations pour la plupart sans grande portée. Peu meurtrières, elles sont généralement destinées à défendre ces quelques possessions, menacées par les tribus environnantes d'Alger, engagées dans le *jihâd* depuis le 26 juillet 1830.

Le danger principal pour l'occupation française se révèle, en mars 1832, sous les traits d'un jeune chef, Abd el-Kader, intronisé *amîr al mujahîdîn* (conducteur du *jihâd*) par les tribus de l'Ouest-Oranais et qui, jusqu'à sa reddition en 1847, organise et anime la résistance algérienne. Dans un premier temps, faute de dégager des moyens suffisants pour en venir à bout, le gouvernement français s'accommode du nouvel émir – avec l'espoir d'en faire un protégé de la France. À deux reprises même, en 1834 et en 1837, les autorités françaises contractent avec lui des traités entérinant sa souveraineté sur une vaste partie du territoire de l'ancienne Régence.

Abd el-Kader, dont le prestige est alors considérable, met à profit cette situation pour asseoir son autorité sur les tribus, non sans recourir, chaque fois qu'il le juge nécessaire, à des méthodes musclées : razzia des tribus refusant de reconnaître son pouvoir, massacre des insoumis. Dans le même temps, il crée une armée régulière de 2 000 cavaliers, de 8 000 fantassins équipés en fusils français avec baïonnette et de 250 artilleurs servant vingt pièces de campagne, que viennent renforcer les contingents fournis par les tribus.

Face à la puissance grandissante de ce nouvel État, la France est acculée à choisir entre l'évacuation de ses possessions et la conquête totale du pays. Cette dernière option est finalement retenue en 1839 ; la réalisation est confiée au général Bugeaud, nommé gouverneur général de l'Algérie et commandant en chef, le 19 décembre 1840[1]. C'est alors que commence véritablement la guerre de conquête, qui se prolonge jusqu'à la soumission de la Kabylie, en 1857, les années 1840-1845 étant les plus sanglantes. Dans la suite, c'est essentiellement par des insurrections que les Algériens manifestent leur opposition à la présence française : soulèvement des Ouled Sidi Cheikh en 1864 qui s'étend du Sud-Oranais au Titteri et au Dahra, de la Kabylie en 1871, puis de Bou Amama en 1881, enfin de Margueritte en 1901.

_____

1. Bugeaud quittera l'Algérie le 5 juin 1847.

De cette conquête les Repentants font une lecture qui a le mérite de la simplicité : c'est un « projet cohérent de génocide[1] », qu'on retrouve d'ailleurs à l'œuvre dans la plupart des guerres coloniales, et dont l'Europe fera plus tard l'amère expérience, en particulier au cours de la Seconde Guerre mondiale. C'est ainsi que Gilles Manceron fait remonter à la reconquête de Saint-Domingue, entreprise par Rochambeau en 1802-1803, cette « politique de massacres et de terreur qui inaugure la violence qu'on retrouvera dans toutes les guerres coloniales, une violence à une autre échelle qui n'obéit pas aux mêmes règles que celles des guerres européennes, une violence dirigée vers des populations en tant que telles, présumées soutien de l'ennemi[2] ».

Voyons donc, pour la conquête de l'Algérie, ce que nous disent les chiffres.

La plupart des historiens s'accordent aujourd'hui à penser[3] que la population de la Régence d'Alger s'élève à environ 3 millions d'habitants au moment où les troupes françaises prennent pied à Sidi-Ferruch. En 1872, l'Algérie compterait environ 2 125 000 habitants. Comment expliquer cet effondrement d'environ 875 000 personnes en

---

1. O. Le Cour Grandmaison, *Coloniser, Exterminer*, p. 123.

2. G. Manceron, *Marianne et les colonies*, p. 68.

3. À la suite des travaux de X. Yacono, « Peut-on évaluer la population de l'Algérie vers 1830 ? », *Revue africaine*, t. XCVIII, p. 277-307.

quarante ans ? Est-il la conséquence – et la preuve – du projet d'extermination dont la colonisation serait porteuse ?

C'est la conclusion d'Olivier Le Cour Grandmaison[1], c'est aussi celle du démographe Kamel Kateb, pour qui les retombées démographiques de la conquête, étendue jusqu'au lendemain de la révolte kabyle de 1871, oscillent entre 850 000 et 1 million de morts : 75 000 Algériens tués dans les combats contre l'armée française et 725 000 « morts des suites de blessures ou de maladie[2] ». L'ampleur de cette régression démographique, entièrement imputée à la conquête ou à ses effets, vérifierait, à elle seule, l'accusation de génocide. Ce n'est donc pas déroger à la bienséance que d'examiner les fondements d'un tel verdict.

Parce que les Algériens ne laissent pas leurs morts derrière eux[3] et qu'ils n'ont eux-mêmes procédé à aucun comptage, on ne dispose d'aucune source exploitable permettant de connaître les pertes algériennes. Il n'est pas étonnant, dans ces conditions, qu'à défaut de démonstration on

---

1. O. Le Cour Grandmaison, *Coloniser, Exterminer*, p. 188.

2. K. Kateb, *Européens, « Indigènes » et Juifs en Algérie (1830-1962). Représentations et réalités des populations*, INED, 2001, p. 47.

3. E. Carrey, dans ses *Récits de Kabylie* (Michel Lévy, 1858, rééd. Grand-Alger Livres, Alger, 2004), évoque « le pieux fanatisme avec lequel les Kabyles enlèvent leurs blessés et leurs morts », qui « rend impossible l'évaluation exacte de leurs pertes » (p. 111).

propose un empilement de suppositions, d'estimations et de présomptions, bref, un bricolage méthodologique.

Premier niveau de cette construction, et à partir de deux exemples ponctuels – les combats de 1830, qui conduisirent à la prise de la ville d'Alger, et ceux de l'année 1845 –, Kamel Kateb estime fondé le « rapport de 1 soldat français mort au combat pour 10,9 indigènes[1] ». En ramenant cette proportion à 1 pour 10, et compte tenu que, de 1830 à 1875, la conquête de l'Algérie coûte la vie à 7 469 soldats français tués sur les champs de bataille, l'auteur évalue le nombre des Algériens tués au combat à 75 000.

Or, que sait-on du nombre des Algériens tués en défendant Alger ? Rien de précis. La référence à l'année 1845 paraît plus convaincante puisque, selon l'auteur, « les pertes indigènes dénombrées par les militaires français s'élèvent à 6 616 hommes tués au combat, pour 605 soldats français[2] ». Mais le ratio des pertes enregistrées cette année-là est-il généralisable aux quarante-cinq années considérées ? Rien n'autorise une telle allégation, tant, d'un épisode à l'autre, la conquête présente des contours différents.

Prenons la bataille de la Macta, en juin 1835 : elle oppose 2 500 à 3 500 Algériens, dont un millier de réguliers, à une colonne française qui

---

1. K. Kateb, *Européens, « Indigènes » et Juifs en Algérie*, p. 47, qui fait référence aux travaux de X. Yacono.

2. *Ibid.*, p. 46-47.

compte entre 3 600 et 5 400 soldats. Elle se solde par une sévère défaite pour l'armée française, avec 262 tués et 308 blessés. Les pertes algériennes sont quant à elles l'objet d'un débat historiographique qui, à défaut d'être clos, n'en est pas moins éclairant : l'estimation haute du général Azan, qui minimise l'importance de l'échec essuyé par les Français, mais qui grossit les effectifs des Algériens, fait état de 1 500 morts et 2 000 blessés. Autrement dit, le rapport des pertes s'élèverait, au maximum, à 1 Français tué pour 5,7 combattants algériens. En revanche, Ahmed Kouider Ben Hamed, qui valorise la victoire d'Abd el-Kader, parvient à une conclusion toute différente : il relève à 402 le nombre de morts côté français (52 dans la forêt du Moulay et 350 dans les marais de la Macta) et juge les pertes algériennes « minimes, comparées à celles de la division d'Oran », sans toutefois fournir de chiffres [1].

La défense de la redoute de Mazagran offre un tout autre visage. Du 3 au 5 février 1840, 144 hommes enfermés dans une redoute, pour la plupart du 1er bataillon d'Afrique, subissent les attaques de 1 500 à 2 000 Algériens [2], menés par un lieutenant d'Abd el-Kader, Mustapha Ben-Thami. Le matin du 5, lorsque les assaillants

---

1. A.K. Ben Hamed (colonel Nabil), *La Bataille de la Macta* (juin 1835), Alger, Éditions ANEP, 2005, p. 35.
2. Chiffres avancés par Pélissier de Reynaud, *Annales algériennes*, t. II, Alger, 1854, p. 429.

renoncent, les pertes françaises s'élèvent à 3 tués et 15 blessés. « Les Arabes avaient emporté avec eux leurs morts et leurs blessés. Mais le nombre des chevaux tués indiquait la grandeur de leurs pertes [1] », que certains auteurs estiment à 600. Le rapport serait alors de 1 pour 200 !

Devant une telle disparité, d'un épisode à l'autre, une seule conclusion s'impose : même lors des batailles « à l'européenne », les sources mises en œuvre pour comptabiliser les victimes algériennes ne permettent pas d'établir une statistique précise. Dans la plupart des cas, en effet, tout repose sur les récits des militaires français qui, par tradition et intérêt, usent de l'enflure rhétorique, ce sens de l'exagération qui les porte à magnifier leur rôle, en multipliant l'importance des forces ennemies qu'ils eurent à affronter, l'intensité des combats auxquels ils ont participé, l'ampleur des dangers encourus et, bien entendu, l'étendue des dommages qu'ils ont fait subir à l'ennemi. Faut-il prendre pour argent comptant ces récits ?

Dans une lettre du 13 octobre 1837, le général Saint-Arnaud assure que lors de la prise de Constantine « on ne faisait pas de prisonniers ». Décrit-il la réalité ou bien use-t-il d'un procédé de narration pour dresser le tableau des horreurs dont

---

1. Général du Barail, *Mes souvenirs*, t. Iᵉʳ, Plon, 1895, p. 95. Pélissier de Reynaud, *Annales algériennes*, p. 429, parle de « pertes assez considérables ».

il a été témoin ? Olivier Le Cour Grandmaison estime en tout cas tenir là la preuve qu'en Algérie la prise des villes donne lieu à des atrocités qui n'ont plus cours en Europe depuis longtemps déjà. Ouvrons les *Annales algériennes* du capitaine Pélissier de Reynaud, auteur du meilleur témoignage sur la conquête de l'Algérie, texte étonnamment sincère d'un officier arabophile, qui ne cache rien de l'âpreté des combats : « Dès que les colonnes d'attaque eurent complètement dépassé la brèche et qu'elles furent maîtresses de Constantine, le général Rullière [...] y pénétra. On s'y battait encore ; mais il ne tarda pas à voir venir à lui un homme qui lui remit une lettre, dans laquelle les autorités de la ville faisaient leur complète soumission, en implorant la clémence du vainqueur pour elles et les habitants. Le général fit aussitôt cesser le feu [...]. Les habitants qui étaient restés à Constantine, et ceux qui, après l'avoir quittée, ne tardèrent pas à y revenir, furent traités avec douceur et justice. Mais le paiement des fournitures faites à l'armée dut s'effectuer par eux[1]. » On voit que, à aucun moment, Pélissier de Reynaud ne parle d'exécution de prisonniers, ni d'extermination de sang-froid des populations.

Quelques batailles et quelques sièges de villes exceptés, la plupart du temps, la guerre se déroule sous forme d'escarmouches et d'embuscades, ce qui

---

1. *Ibid.*, p. 229-230.

rééquilibre les forces en présence et leur puissance destructrice. La précieuse chronique de la conquête de la Kabylie d'Émile Carrey permet de comparer les pertes françaises et algériennes en quelques occasions, notamment lorsque la rapidité de l'engagement interdit aux Kabyles de recueillir leurs morts. Les combats d'Ichériden, qui comptent parmi les plus vifs de la conquête de la Kabylie, mettent 2 400 soldats français aux prises avec 3 000 ou 4 000 Kabyles. Ils se soldent par la mort de 44 Français et par celle de 67 Kabyles[1], soit un rapport de 1 pour 1,5. La prise du col de Chellata est fatale à 4 Français et à 21 Kabyles : la proportion est ici de 1 pour 5. Le 28 juin 1857, l'attaque du village de M'Zien coûte 17 hommes à la brigade du général Margadel, les Kabyles en perdant 63, soit 1 pour 4. Celle du village d'Aït-Aziz fait 19 tués du côté français et 28 tués du côté kabyle, soit 1 pour 1,5. La proportion de tués algériens par rapport aux tués français se situe donc dans une fourchette de 1 à 5[2].

Au total, si la disparité des pertes peut être considérable au cours des combats en ligne, la différence s'atténue dans la guérilla. Rien ne permet de postuler un rapport constant, quatre décennies

---

1. K. Kateb avance le chiffre de 200 Kabyles tués, sans indiquer sur quelle source il se fonde, ce qui conduirait au rapport de 1 Français tué pour 4,5 Kabyles.
2. É. Carrey, *Récits de Kabylie*, p. 111.

durant, entre les pertes françaises et les pertes algériennes. Dès lors, rien ne justifie le chiffre de 75 000 Algériens tués au combat.

C'est pourtant le point de départ du deuxième étage de la construction, dont le but est maintenant d'évaluer le nombre des Algériens décédés à la suite de blessures ou de maladies. Pour ce faire, Kamel Kateb procède à nouveau par analogie. Entre 1830 et 1875, 110 161 soldats français meurent à l'hôpital des suites de blessures, d'accidents et de maladies. Ainsi, pour 1 mort sur le champ de bataille, faut-il ajouter presque 15 décès induits, proportion que l'auteur réduit, pour la population indigène, à 1 pour 10. Ce coefficient, appliqué aux 75 000 tués sur les champs de bataille, conduit à 750 000 morts supplémentaires et impute à la guerre de conquête un total de 825 000 morts indigènes. Cette hypothèse est-elle justifiée ? Peut-on comparer les conditions sanitaires et de vie de l'armée française à celles des populations algériennes en armes ?

Dans ses *Mémoires*, le maréchal de Canrobert se souvient de ses années passées en Algérie. Ce qu'il décrit, c'est une armée à l'équipement inadapté au terrain et au climat, à peine amélioré par Bugeaud. Charles-André Julien, dans son *Histoire de l'Algérie contemporaine*, a consacré de longues pages aux misères du soldat, à la faim qui le tenaille, à la nourriture avariée dont il doit, la plupart du temps, se satisfaire, au froid et à la pluie, aux maladies qui le terrassent, aux blessures dont la plupart ne se remettent pas. Canrobert, alors capitaine, revenant de la Tafna, en avril 1836, se retourne pour voir défiler sa compagnie : « Ils marchaient voûtés sous le poids de leur sac chargé, fatigués par une journée de marche et de combat. Serrés les uns contre les autres [1]. » Des années après, Mac-Mahon se remémore les tourments endurés par les 8 700 hommes de la colonne partie s'emparer de Constantine, en novembre 1836 : « La marche de la colonne fut très pénible. Dès le début, la pluie ne cessa de tomber jour et nuit. Comme le pays que nous traversions était totalement dépourvu de bois, les hommes étaient obligés de porter sur leurs sacs non seulement vingt-quatre cartouches et trois jours de vivres, mais encore les fagots nécessaires pour faire la soupe. En outre, ils étaient obligés de passer de nombreux ruisseaux devenus des torrents, en ayant de l'eau jusqu'à la ceinture et arrivaient trempés au bivouac où ils ne pouvaient se sécher. On parvint ainsi péniblement, le 20 au soir, jusqu'à Summa, à dix kilomètres environ de Constantine. La pluie s'était transformée en neige qui tombait à gros flocons ; il avait fallu traverser deux fois le Bou Merzoug, dont le courant était si fort que l'on avait dû tendre des cordages pour empêcher les hommes d'être entraînés. Ceux-ci étaient

---

1. G. Bapst, *Le Maréchal de Canrobert, Souvenirs d'un siècle*, Plon, 1904, t. I, p. 245-246

épuisés de froid et de fatigue, beaucoup manquaient de vivres. Personne n'avait de tente et, dans le camp, il n'y avait qu'un feu allumé, celui du maréchal. [...] Le lendemain, au point du jour, en secouant la neige de mon manteau, je découvris trente cadavres étendus raides autour des restes du brasier[1]. » À l'issue d'une retraite particulièrement éprouvante, l'armée qui rejoint Bône a perdu 2 000 hommes. Le général Du Barrail évoque, parmi d'autres, un épisode dont « l'histoire de notre conquête est féconde » : en juin 1838, un bataillon du 1er de ligne, parti d'Oran pour Mostaganem, « avait été en quelque sorte écrasé, entre Arzew et la Macta, par un coup de siroco. Il avait fallu saigner sur place deux cents de ces malheureux, foudroyés par la chaleur [...]. Six mois plus tard, revenant à Oran, le même bataillon, au même endroit, fut surpris par une tourmente de neige fondue. Il laissa en route une partie de son effectif mort de froid, et la moitié des hommes qui survécurent dut entrer aux ambulances d'Arzew[2] ».

C'est également une armée à l'intendance défectueuse, au service d'ambulance déficient : « Nous eûmes peu à souffrir du feu de l'ennemi, mais presque tout le temps nous fûmes privés de nourriture [...]. Les soldats, accablés par les fatigues, les

---

1. *Mémoires du maréchal de Mac-Mahon, Souvenirs d'Algérie*, Plon, 1932, p. 60-61.
2. Général Du Barail, *Mes souvenirs*, p. 83.

pluies, les privations, tombèrent malades par milliers[1]. » Sous les murs de Constantine, à l'heure où sonne la diane, chaque bivouac est « jalonné de soldats morts de froid, de misères, de privations et de maladies[2] ». Si l'on ajoute les insolations, la dysenterie, le choléra et le typhus, ainsi que les suicides, on n'est pas étonné du niveau très élevé de la mortalité qui frappe les soldats français, en dehors des combats. En quatre mois de l'année 1840, sur les 1 200 hommes de la garnison de Miliana, 600 meurent de maladies et 300 autres sont intransportables. Le duc d'Orléans cite le cas « des garnisons des camps de l'Harrach et de l'Arba qui, sans excepter un seul homme, passèrent tout entières par l'hôpital et n'en sortirent que pour le cimetière[3] ».

Si les soldats français sont plusieurs années durant en opération, sans relâche ou presque, il n'en est pas de même pour leurs adversaires, dont les gros contingents, fournis par les tribus, ne guerroient qu'épisodiquement. Les tribus du Constantinois procurent au dey des troupes nombreuses pour s'opposer à l'invasion française de 1830. Mais après la chute d'Alger et jusqu'en 1835, elles ne prennent part à la guerre que sporadiquement. Si,

1. G. Bapst, *Le Maréchal de Canrobert, Souvenirs d'un siècle*, p. 223.

2. *Ibid.*, p. 294.

3. Cité par Ch.-A. Julien, *Histoire de l'Algérie contemporaine*, t. I, *La Conquête et les débuts de la colonisation (1827-1871)*, PUF, édition de 1979, p. 156.

en 1836 et 1837, elles mobilisent pour défendre Constantine, une fois la ville tombée aux mains des Français, elles sont nombreuses à faire leur soumission, ce qui les soustrait largement aux ravages de la guerre. Ainsi les Kabyles sont-ils massivement présents, en 1830, pour défendre Alger, mais « la majorité ne combattit pas faute d'organisation et de problèmes d'intendance [1] ». Entre 1837 et 1857, ils n'offrent qu'une résistance dispersée aux pénétrations françaises. En 1857 même, lors de l'achèvement de la conquête de la Kabylie, l'armée française ne trouve pas, face à elle, un front commun des tribus. La campagne, qui dure quarante-cinq jours, n'est qu'une succession de combats, certes farouches, mais toujours circonscrits, mettant aux prises les colonnes françaises et leurs alliés kabyles aux hommes des villages qui, submergés en quelques heures, sont contraints de se rendre les uns après les autres. Les années qui suivent, et jusqu'au soulèvement de 1871, ne sont troublées par aucune bataille.

C'est donc à tort que les Repentants donnent à croire que l'Algérie est tout entière et continûment à feu et à sang, entre 1830 et 1871. Jamais les combats n'affectent, au même moment, l'intégralité du territoire algérien, ni la totalité des populations, alors que l'armée française, elle, est

---

1. A. Mahé, *Histoire de la Grande Kabylie, XIXᵉ-XXᵉ siècles, Anthropologie historique du lien social dans les communautés villageoises*, Saint-Denis, Bouchène, 2001, p. 165.

constamment sur le pied de guerre. Après 1847, ils se limitent d'ailleurs, pour l'essentiel, aux confins de la Kabylie et au Sud, puis, en 1857, à la Grande Kabylie. Par ailleurs, combattant sur leurs terres, les Algériens sont évidemment mieux adaptés aux contraintes du climat et mieux équipés pour y faire face que les soldats français. C'est donc dans une moindre mesure qu'ils en subissent les effets mortifères. Ainsi le raisonnement qui conduit à appliquer aux Algériens un coefficient de pertes indirectes, calculé à partir des données de l'armée française, se révèle-t-il particulièrement inapproprié, tellement les conditions de vie et de lutte sont dissemblables.

Pour que le tableau soit complet, il faut ajouter encore les populations civiles victimes de la guerre. S'il n'est évidemment pas question d'ignorer que de nombreux civils sont tués ou meurent du fait de la conquête, il est en revanche impossible d'en estimer le nombre. Comment, en effet, départager les combattants des civils ? La plupart des Algériens qui prennent les armes ne sont pas des soldats réguliers. À l'exception du corps de troupe d'Abd el-Kader, les combattants algériens sont des hommes – parfois aussi des femmes – des tribus qui défendent leur territoire lorsqu'il est menacé. Ils ne s'en éloignent jamais longtemps, et retournent aux travaux des champs au moment des labours et des moissons, ou pour protéger les leurs contre le danger d'une expédition française ou bien d'une tribu rivale. Enfin, comme la conquête française a le dos large, Kamel Kateb suggère d'ajouter à ce bilan, déjà extrêmement lourd, « les décès consécutifs aux affrontements entre les tribus au moment de l'effondrement du pouvoir de la Régence, le massacre des tribus de Mostaganem par les troupes du dey de Tunis » ainsi que les victimes de « la guerre menée par Abd el-Kader contre les tribus qui avaient refusé de se soumettre à son autorité ».

Au total, le sentiment qui domine devant cette construction hasardeuse, c'est qu'elle vise un objectif : justifier l'accusation de génocide en faisant de la conquête l'unique responsable de l'effondrement démographique, bien réel, lui, que l'Algérie connaît entre 1830 et 1872, comme on le verra.

2

Aux origines de la Shoah ?

Razzias, enfumades, exécutions de prisonniers de guerre et de civils, enfants embrochés par des baïonnettes : telles auraient été les méthodes de l'armée française pendant la conquête de l'Algérie. Ces méthodes, l'armée y aurait recouru avec un systématisme qui préfigure les horreurs perpétrées par les divisions SS en Europe au cours de la Seconde Guerre mondiale. Cette antienne des Repentants a-t-elle le moindre fondement ?

Qu'ils rappellent cette face noire de la colonisation est évidemment nécessaire ; mais ce qui est inadmissible, c'est la volonté de présenter cette histoire, depuis longtemps bien connue, comme « un secret bien gardé », volontairement dérobé aux yeux de l'opinion publique métropolitaine par « le silence et la dissimulation [...] organisés par une censure officielle qui est une constante de toute la période »[1]. Car ces scoops que les chevaliers blancs

1. G. Manceron, *Marianne et les colonies*, p. 186 et 190.

de la contrition auraient le courage de déterrer, on les connaît depuis toujours. Les descriptions détaillées des razzias sont nombreuses dans les récits des militaires, et la grande presse de l'époque s'en est largement fait l'écho, tout comme elle s'est indignée des enfumades qui, aussitôt connues par les rapports mêmes de leurs auteurs, sont dénoncées vigoureusement à la Chambre des députés et à celle des pairs.

Les méthodes de l'armée française – et des supplétifs algériens qui combattent à ses côtés – ont fait l'objet de travaux historiques de grande qualité, parmi lesquels ceux de Paul Azan, en 1931, ou de Charles-André Julien, en 1963. Dans un ouvrage récent, Jacques Frémeaux livre un récit sans complaisance « de la férocité des combattants français » : violence des engagements qui ne laisse place à aucune pitié, exécution, parfois, des prisonniers de l'un ou l'autre camp, razzias et leurs conséquences tragiques pour les populations indigènes, enfumades, recours à la torture – en particulier aux bastonnades –, viols, essorillement, rien n'est laissé dans l'ombre, rien n'est occulté [1]. Faut-il supposer que ceux qui prétendent nous faire la leçon sur le passé colonial de notre pays ignorent totalement cette historiographie abondante et scrupuleuse ?

Si rien ne justifie les exactions commises par les Français, pourquoi exonérer les Algériens de toute

1. J. Frémeaux, *La France et l'Algérie en guerre, 1830-1870, 1954-1962*, Economica, 2002, p. 212 *sq.*

responsabilité dans la férocité des combats ? Ce parti pris atteste que les Repentants ne s'attachent guère à faire l'histoire de la colonisation, mais à procéder à une instruction à charge. Or, « dès les débuts de la conquête, le comportement des guerriers algériens fait l'objet de dénonciations sévères de la part des Français qui ne peuvent le qualifier autrement que de "barbare" [1] ». Pélissier de Reynaud, si compréhensif d'ordinaire à l'égard des Algériens, assure pourtant « qu'ils ne font jamais de prisonniers et qu'à quelques rares exceptions près, ils égorgent tout ce qui leur tombe sous les mains [2] ». Même constat dans les *Récits de Kabylie* d'Émile Carrey, à propos, cette fois, des Kabyles : « C'est leur coutume sauvage d'achever tout blessé et d'emporter sa dépouille comme un trophée de victoire. En vue d'une veste d'uniforme à conquérir, le Kabyle ne connaît ni pitié, ni danger [3]. » Pélissier de Reynaud salue d'ailleurs « comme une amélioration dans les mœurs arabes [qui] doit être remarquée, qu'en décembre 1835, pour la première fois, les Hadjoutes introduisirent dans la guerre un principe d'humanité jusqu'alors méconnu des Arabes dans leurs démêlés avec nous : ils firent des prisonniers [4] ». Après tout, l'humanité

---

1. *Ibid.*, p. 211.
2. Pélissier de Reynaud, *Annales algériennes*, t. I, p. 304.
3. É. Carrey, *Récits de Kabylie*, p. 128.
4. Pélissier de Reynaud, *Annales algériennes*, t. II, p. 37.

avec laquelle il traite ses prisonniers français a valu à Abd el-Kader le surnom de « Magnanime ». Mais dès qu'il a le dos tourné, comme en avril 1846, son khalife fait exécuter les 300 prisonniers qu'il détient. De la même manière, que de contorsions pour expliquer que les razzias, bien qu'empruntées aux Turcs, « n'ont plus rien à voir avec les pillages traditionnels couramment pratiqués par certaines tribus arabes[1] » dès lors qu'elles sont commises par l'armée française. Abd el-Kader lui-même en fait un usage fréquent pour soumettre les tribus rétives à son autorité, usant à leur égard d'une violence qui ne le cède en rien à celle des Français.

Enfin, réduire la conquête de l'Algérie à ces épisodes les plus épouvantables est tout aussi inacceptable. Il suffit que Montagnac, ce « gentilhomme exalté jusqu'à la paranoïa[2] », évoque dans une lettre que certaines des femmes capturées lors des razzias sont vendues « à l'enchère, comme des bêtes de somme » pour qu'Olivier Le Cour Grandmaison y voie une pratique courante, alors même qu'aucune autre mention ne vient corroborer ce récit qui relève de la mythologie orientaliste plus que du témoignage historique.

Pas de colonisation sans torture, nous dit-on ? Faux ! Certes, les Français ont torturé, aux colonies.

---

1. O. Le Cour Grandmaison, *Coloniser, Exterminer*, p. 147.
2. Ch.-A. Julien, *Histoire de l'Algérie contemporaine*, t. I, p. 202.

Mais pas partout ni toujours. En Algérie, la plupart des officiers des Bureaux arabes, suffisamment bien renseignés par d'autres voies, n'y ont jamais recours ; pas plus que Gallieni et Lyautey en Afrique, à Madagascar et au Maroc. Plus tard, au temps de la guerre d'indépendance algérienne, de nombreux officiers, y compris d'unités parachutistes, ont su dire non à la torture[1].

Affirmer qu'il s'agit là d'un moyen de rappeler aux indigènes « qu'ils sont des vaincus privés de tout droit qui peuvent être soumis à des traitements bannis en France depuis 1788[2] » témoigne d'une jolie candeur. Loin d'être « bannie en France », sauf dans les textes, la torture est toujours pratiquée, non seulement dans les prisons et les bagnes, mais au sein même de l'armée d'Afrique, où, « à l'encontre des règlements militaires, les châtiments corporels qui n'étaient admis que dans la marine (jusqu'à la Seconde République) [...] sont

---

1. Voir M. Michel, *Gallieni*, Fayard, 1989, D. Rivet, *Lyautey et l'institution du protectorat français au Maroc*, L'Harmattan, 1996, et J. Frémeaux, *La France et l'Algérie en guerre*, p. 214. J.-Ch. Jauffret, dans *Ces officiers qui ont dit non à la torture, Algérie 1954-1962* (Autrement, 2005), fait litière de la contrevérité selon laquelle « la torture en Algérie fut une pratique systématique de l'armée dès 1955 » (N. Bancel, P. Blanchard, F. Vergès, *La République coloniale, Essai sur une utopie*, Albin Michel, 2003, p. 154).

2. O. Le Cour Grandmaison, *Coloniser, Exterminer*, p. 152-153.

largement utilisés, soit sur un mouvement d'humeur, soit de propos délibéré et de manière systématique[1] ». Les coups de bâton, de cravache, de nerf de bœuf sont monnaie courante pour faire marcher droit les soldats de l'armée d'Afrique. Un journal légitimiste, *La Gazette de France*, dans son numéro du 14 juillet 1845, décrit la hiérarchie des supplices dont les soldats indisciplinés font les frais. Il y a le silo, la barre, la crapaudine, puis le clou, au rouge ou au bleu : le silo est une fosse profonde dans laquelle on descend les hommes coupables d'infractions à la discipline militaire. Au fond de cette fosse, « les condamnés peuvent rarement s'asseoir ou se coucher, car presque toujours leur nombre est considérable. En été, on y étouffe, car rien ne garantit contre les ardeurs d'un soleil brûlant, en hiver, on y a de l'eau ou plutôt de la boue jusqu'aux genoux : en tout temps, les insectes, les immondices qui y sont accumulés en font un cloaque infect ; quelquefois des condamnés sont descendus dans cette fosse tout nus, à poil (c'est l'expression consacrée) ». La barre est une variété du silo, telle que le malheureux qui y était soumis ne pouvait se retourner ni changer de position. Degré supplémentaire, avec la crapaudine, on lie, dans le dos, le bras gauche et la jambe droite du condamné, en les entrecroisant avec le bras droit et

---

1. P. Guiral, *Les Militaires à la conquête de l'Algérie*, Critérion, 1992, p. 26.

la jambe gauche. Enfin, pour ceux que ne brise pas la crapaudine, il y a le clou qui « consiste à suspendre à un clou ou à une barre, par une corde qui réunit derrière le dos les pieds et les mains de l'homme déjà soumis à la crapaudine et qui ne la supporte pas docilement. Ainsi suspendu, le condamné respire à peine et bientôt le sang injecte et empourpre ses yeux. C'est le clou au rouge, et alors, on le descend à terre. Si cette première opération ne suffit pas pour triompher du condamné, on le suspend une seconde fois et la congestion ne tarde pas à bleuir son visage : c'est le clou au bleu ».

Selon Charles-André Julien, les traitements infligés aux esclaves des îles n'étaient pas pires [1], ce qui donne la mesure des violences subies par ces paysans de France qui ont tiré le mauvais numéro, synonyme d'un service militaire de sept ans. La torture n'est donc pas réservée aux indigènes et elle n'exprime aucunement l'essence de la domination coloniale.

Sur les razzias, on dispose de nombreux témoignages qui attestent la fréquence et la barbarie du procédé. La question qui se pose est de savoir si elles ont été « pratiquées de façon systématique et sur une longue période – jusqu'au début du XXᵉ siècle [2] », comme on nous l'assure. La paternité de l'usage de cette méthode par l'armée française revient au général Lamoricière qui y recourt dans

1. Ch.-A. Julien, *Histoire de l'Algérie contemporaine*, p. 281.
2. O. Le Cour Grandmaison, *Coloniser, Exterminer*, p. 146.

son commandement d'Oran, à partir de 1841, soit dix ans après le début de la conquête. À cette date, une large bande côtière, d'Alger à Médéa, autour d'Oran, et toute la région de Constantine jusqu'aux contreforts de la Grande Kabylie sont sous domination française. Couramment utilisées ensuite contre les tribus insoumises, les razzias deviennent rares dans le Tell après la capitulation d'Abd el-Kader, en 1847. Désormais, c'est dans le Sud et les confins de la Kabylie qu'elles sont menées, puis en Grande Kabylie, lors de la campagne de 1857. La razzia vise deux objectifs : d'abord, pallier les déficiences de l'intendance et permettre à l'armée de « vivre sur l'Arabe et [de] nourrir la guerre par la guerre[1] ». Ensuite, « soumettre les tribus en les menaçant de famine », mais aussi « faire craindre aux guerriers de voir leurs femmes déshonorées, et leurs familles livrées à des "chrétiens" dont ils appréhendent qu'ils ne les forcent à se convertir »[2]. Destinées à imposer la domination française, elles s'interrompent aussitôt que les tribus font leur soumission, tout comme cessent alors les destructions, notamment l'abattage des arbres, et il n'est pas rare qu'une partie des prises soient restituées.

Pour fréquentes qu'elles aient été, les razzias ne furent donc pas systématiques, ni dans l'espace algérien, ni dans le temps de la conquête.

---

1. Du Barail, *Mes souvenirs*, p. 149.
2. J. Frémeaux, *La France et l'Algérie en guerre*, p. 218.

Il faut bien entendu évoquer les abjectes enfumades dont l'armée d'Afrique s'est rendue coupable. Alors qu'Abd el-Kader, traqué, voit sa capacité de résistance se réduire inexorablement, la lutte contre l'envahisseur prend un nouveau visage, celui des révoltes incarnées par des *madhi*, ces hommes inspirés par Dieu pour chasser les chrétiens. Au printemps 1845, un jeune marabout de vingt ans, Mohamed ben Abdallah, connu sous le nom de Bou Mazza, surnommé « l'homme à la chèvre », soulève les populations du Dahra, du Chélif et de l'Ouarsenis, dans un mouvement empreint d'un profond mysticisme, où se conjuguent désespoir et espérance d'un miracle. La répression est sauvage. Le territoire des tribus révoltées est saccagé. Mais le comble de l'horreur est atteint le 19 juin 1845. Lancé à la poursuite des Ouled-Riah, le colonel Pélissier, homonyme de notre chroniqueur, les surprend au petit matin, réfugiés avec femmes et enfants dans les grottes du Dahra. Le récit que livre Canrobert, alors chef de bataillon, éclaire le déroulement de cette sinistre journée.

Pélissier « choisit un emplacement pour établir le camp à proximité de l'entrée des grottes et fait aussitôt placer des grand'gardes autour des nombreuses issues de ces vastes souterrains. Puis, s'approchant, il appelle un des cavaliers arabes qui l'accompagnent, lui disant de sommer les Kabyles de sortir [...]. Sur la sommation de l'Arabe du goum [corps de supplétifs algériens] répétée par l'interprète Goert qui vient d'arriver, trois Ouled-Riah s'avancent : ils craignent, disent-ils, d'être faits prisonniers et d'être enfermés dans la Tour des Cigognes, à Mostaganem [...]. Pélissier renvoie les négociateurs prévenir leurs frères qu'il ne leur sera fait aucun mal ; l'aman [la paix, le pardon] leur sera donné aussitôt leur sortie effectuée. Ils reviennent au bout d'une heure, déclarant ne vouloir sortir que si les Français se retirent les premiers. Pélissier ordonne alors de faire couper toutes les broussailles et de les réunir en fascines. De nouveau, par l'interprète et les Arabes du goum, il parlemente, renouvelant ses propositions d'aman et affirmant que les grottes seront enfumées s'il n'a pas satisfaction. Les heures s'écoulent en discussion ; les fascines sont prêtes et amenées en face des issues ; on peut maintenant y mettre le feu. Une dernière fois, Pélissier s'approche de l'entrée, et lui-même prévient les Arabes du sort qui leur est réservé, car les fascines vont être enflammées. Cette fois, on lui répond par des coups de fusils [...]. Pélissier attend encore jusqu'à la nuit ; alors on allume les fagots. Le lendemain matin, quelques spectres noircis par le feu, à moitié asphyxiés, se présentent à la principale entrée. Ils ne parlent plus de combats ; ils ne sont plus en état de lutter. On les reçoit. Le feu a produit un effet terrible. Alors Pélissier ordonne aux soldats du génie de pénétrer. Mais c'est impossible, tant la fumée répand une odeur âcre. Peu à peu, l'air nouveau s'infiltrant, les soldats peuvent entrer. Dans chaque coin, on voit des grappes de cadavres au visage noirci, aux membres contournés. Un certain nombre sont encore vivants ; on les amène à l'ambulance, mais beaucoup d'entre eux meurent avant même d'être secourus. Plus de cinq cents cadavres sont comptés [1]. »

L'affaire des grottes, connue du public par le rapport sans fard que Pélissier adresse au ministère de la Guerre, soulève en France, et jusqu'à la Chambre des pairs, une vague d'indignation dont la presse se fait largement l'écho. Cette enfumade n'est pourtant pas la première. Canrobert évoque un précédent, auquel il a personnellement participé, un an auparavant. « J'étais avec mon bataillon dans une colonne commandée par Cavaignac. Les Sbéahs venaient d'assassiner des colons et des caïds nommés par les Français ; nous allions les châtier. Après deux jours de course folle à leur poursuite, nous arrivons devant une énorme falaise à pic [...]. Dans la falaise est une excavation profonde formant grotte. Les Arabes y sont et, cachés derrière les rochers de l'entrée, ils tiraillent contre nous. Nous les enserrons bientôt, et, les chassant de rocher en rocher, nous les forçons à se retirer dans la grotte. À ce moment, comme nous sommes fort rapprochés, nous commençons à parlementer. On

---

1. G. Bapst, *Le Maréchal Canrobert*, p. 420-421.

promet la vie sauve aux Arabes s'ils sortent. La conversation fait cesser les coups de fusils. Alors un de mes camarades [...], le capitaine Jouvencourt, sort du rocher derrière lequel il est caché et s'avance seul devant l'entrée. Il espère avoir sur les Arabes l'autorité morale suffisante pour obtenir leur soumission [...]. Déjà il leur parle, lorsque ceux-ci font une décharge, et il tombe raide mort, atteint de plusieurs balles. Il fallait prendre d'autres moyens. On pétarda l'entrée de la grotte et on y accumula des fagots, des broussailles. Le soir, le feu fut allumé. Le lendemain, quelques Sbéahs se présentaient à l'entrée de la grotte demandant l'aman à nos postes avancés. Leurs compagnons, les femmes et les enfants étaient morts. Les médecins et les soldats offrirent aux survivants le peu d'eau qu'ils avaient et en ramenèrent plusieurs à la vie ; le soir les troupes rentraient à Orléansville. Telle fut la première affaire des grottes[1]. » Deux autres exemples sont avérés, impliquant Canrobert et Saint-Arnaud, un autre est évoqué dans les souvenirs du colonel Segrétain, alors qu'il participait à une opération menée dans le Dahra, sous les ordres du général de Salles.

Quelle place les enfumades occupent-elles dans la conquête de l'Algérie ? Si l'on suit l'interprétation des Repentants, deux caractéristiques majeures se dégagent : la première concerne la banalisation

---

1. *Ibid.*, p. 418-419.

du procédé qui permet sa « réitération », sa « répétition », y compris après le scandale de 1845. La seconde, c'est que cette « technique », qui relève des « massacres administratifs », témoigne « du triomphe de conceptions où la vie d'autrui est désormais sans valeur ; peu importent son sexe, son âge et son statut, il peut être mis à mort sans que cela soit perçu par les exécutants comme un crime, puisque cet autrui bestialisé et fait renard subit un traitement adéquat à sa condition de bête sauvage et nuisible[1] ».

« Réitération », « répétition » ? Sans être exceptionnelles, puisqu'on en connaît quatre, peut-être cinq exemples, tous survenus dans un espace chronologique resserré de quatre à cinq ans, les enfumades ne peuvent pas être considérées comme une technique ordinaire de la conquête de l'Algérie. Rien de systématique donc, contrairement à la mise en œuvre de la solution finale. « Massacres administratifs » ? Les caractériser ainsi, c'est une nouvelle manière d'affirmer une filiation directe avec les horreurs nazies, car cette expression renvoie explicitement à la déportation et au génocide perpétrés contre les Juifs.

Ce parallèle ignominieux ne repose sur aucun fondement. Canrobert, qui ne cache rien de l'horreur des enfumades, qui en a usé lui-même en une circonstance, légitime le procédé, non par des

---

1. O. Le Cour Grandmaison, *Coloniser, Exterminer*, p. 142.

considérations raciales qui justifieraient l'extermination des Algériens, mais par ce qu'il estime être une nécessité militaire : « S'il avait fallu enlever pareille redoute de vive force, trois cents hommes, en y pénétrant tête baissée, y eussent succombé[1]. » Son témoignage, le rapport de Pélissier, les lettres de Saint-Arnaud insistent tous sur l'offre de reddition, en échange de l'aman, proposée aux Algériens avant la mise à exécution des enfumades. Quel choix a-t-on proposé aux Juifs déportés dans les camps d'extermination ? Il y a quelque chose de profondément malsain, de nocif, dans cet acharnement à faire de la conquête coloniale un laboratoire du nazisme, contre toute vérité historique. Il y a aussi quelque chose de dangereux, pour les fondements mêmes de la République, à poser ainsi les bases artificielles d'une guerre des mémoires, en présentant les uns comme les descendants de populations victimes d'un génocide dénié et en invalidant, par contrecoup, l'irréductibilité absolue de la Shoah.

Il ne s'agit évidemment pas de nier ni de minimiser, en aucune manière, l'extrême violence de cette guerre, les abominations, les massacres de masse dont elle a été le théâtre. Cependant – il faut le répéter inlassablement, tant la confusion est entretenue à ce sujet–, l'objectif poursuivi n'a

---

1. G. Bapst, *Le Maréchal Canrobert*, p. 421.

jamais été l'*anéantissement* des populations indigènes, mais leur *domination* ; ce que Bugeaud résume, en 1841, par cette formule lapidaire : « il faut que les Arabes soient soumis ; que le drapeau français soit seul debout sur cette terre d'Afrique[1] ».

1. Bugeaud, Proclamation « Aux habitants de l'Algérie », 22 février 1841, citée par P. Azan, *Par l'épée et la charrue, Écrits et discours de Bugeaud*, PUF, 1948, p. 80.

3

Les années de misère

Les chiffres, toujours eux, sont néanmoins irrécusables : l'Algérie a bel et bien perdu 875 000 habitants entre 1830 et 1872. S'il n'y a pas eu génocide, qu'est-ce qui a provoqué un tel effondrement démographique ?

Prenons la période 1830-1861, celle des années de conquête, marquées en particulier par la guerre impitoyable menée contre Abd el-Kader, et qui se clôt par l'assujettissement de la Grande Kabylie. En trente ans, le recul démographique total a été de l'ordre de 260 000 Algériens, compte tenu de ceux qui, comme les Turcs, ont été chassés de la Régence après la prise d'Alger ou de ceux qui ont choisi le chemin de l'exil plutôt que de vivre sur une terre souillée par la domination chrétienne.

Autrement dit, les années de guerre les plus intenses et les plus cruelles, celles des razzias et des enfumades, celles des villes prises d'assaut, auraient conduit à un déficit moyen inférieur à 8 500 personnes par an. Or, entre 1861 et 1872[1], alors que la « pacification » du territoire, selon l'expression du temps, est quasiment achevée, le recul est de 615 500 habitants, soit une moyenne annuelle de 60 000. La colonisation aurait-elle donc été, chaque année, sept fois plus meurtrière durant cette période qu'à l'époque des combats les plus durs ?

Stupéfiant paradoxe, en vérité, qui mérite éclaircissement. La révolte des Ouled Sidi Cheikh qui embrase la région du Titteri en 1864 puis celle qui soulève le Constantinois en 1871 entraînent-elles cette hécatombe ? À l'évidence non. Dans ces deux circonstances, le bilan des répressions, malgré leur caractère impitoyable, se mesure en milliers de morts, 30 000 peut-être pour la seconde[2]. L'explication est donc à chercher ailleurs.

Les années 1865-1868 sont pour l'Algérie des années de crises effroyables, au sens propre du terme, qui s'emboîtent et enchaînent leurs effets. En 1865, les récoltes sont mauvaises, le blé, vendu 10 francs le quintal l'année précédente, se négocie

---

1. Il est très probable que, réalisé au lendemain de l'insurrection du Constantinois, le recensement de 1872 propose des résultats également minorés.

2. Estimation prudemment proposée par Ch. Sicard, *La Kabylie en feu, Algérie 1871*, Éditions Georges Sud, 1998, p. 180.

à 22 francs. En 1866, la sécheresse est aggravée, à partir du mois d'avril, par les sauterelles qui ravagent d'abord la Mitidja et le Sahel d'Alger, puis gagnent l'ensemble de la colonie. L'année suivante et de nouveau en 1868, elles sèment la désolation sur leur passage. Leur masse est telle qu'en certains points elle « intercepte la lumière du soleil et ressemble à des tourbillons de neige qui, pendant les tempêtes d'hiver, dans les campagnes d'Europe, dérobent aux regards les objets les plus rapprochés[1] ». Rien ne semble pouvoir arrêter leur progression, sinon l'aridité qui les prive de nourriture. Dans les *Lettres de mon moulin*, Alphonse Daudet offre une description saisissante de cette désolation : « Le lendemain, quand j'ouvris ma fenêtre comme la veille, les sauterelles étaient parties ; mais quelle ruine elles avaient laissée derrière elle ! Plus une fleur, plus un brin d'herbe : tout était noir, rongé, calciné. Les bananiers, les abricotiers, les pêchers, les mandariniers se reconnaissant seulement à l'allure de leurs branches dépouillées, sans le charme, le flottant de la feuille qui est la vie de l'arbre. On nettoyait les pièces d'eau, les citernes[2]. »

Les récoltes de 1866 et de 1867 sont désastreuses. Les vents du sud transforment « le sol de

---

1. Circulaire du 4 juillet 1866 du Comité central chargé d'une souscription au profit des victimes.
2. A. Daudet, « Les sauterelles », *Lettres de mon moulin*, GF-Flammarion, 1972, p. 239.

la vallée du Chélif en une terre craquelée, impossible à travailler ; aux dires des Arabes, il fallait remonter au-delà de trois siècles pour trouver un semblable exemple [1] ». Dans le Constantinois, terre à blé de l'Algérie, les rendements de 1867 obtenus par les fellahs sont dérisoires : 2,5 quintaux à l'hectare pour les blés durs, 1,5 quintal pour l'orge. Si elles s'améliorent entre 1868 et 1870, les moissons restent à un niveau largement insuffisant pour satisfaire aux besoins des populations. Les troupeaux, privés d'eau et de pâturage, puis frappés par le très rigoureux hiver 1867-1868, sont décimés.

Partout, la disette puis la famine s'installent. L'archevêque d'Alger, Charles Lavigerie, dresse le tableau sans fard de cette misère, dans une lettre parue en 1868 dans *L'Illustration* : « C'est en effet la *famine* avec toutes ses horreurs qui décime la population indigène, déjà si éprouvée par les ravages du choléra. Deux années de sécheresse, l'invasion des sauterelles ont épuisé toutes les ressources. Depuis plusieurs mois, un grand nombre d'Arabes ne vivent plus que de l'herbe des champs ou des feuilles des arbres qu'ils broutent comme des animaux ; et maintenant avec un hiver plus rigoureux que d'habitude, leurs corps épuisés ne résistent plus ; ils meurent littéralement de faim.

1. A. Rey-Goldzeiguer, *Le Royaume arabe, La politique algérienne de Napoléon III, 1861-1870*, Alger, SNED, 1977, p. 441-442.

On les voit presque nus, à peine couverts de haillons, errer par troupes sur les routes, dans les voisinages des villes d'où on a été obligé de les conduire pour éviter des désordres de toutes espèces ; on les voit attendant les tombereaux qui enlèvent les immondices pour se les disputer et les dévorer. Rien ne les rebute ; ils vont jusqu'à déterrer pour les manger, les animaux morts de maladie. [...] Chose affreuse à dire, plus affreuse à voir, on en trouve chaque matin sur les routes, dans les champs, morts d'inanition [1]. »

Les épidémies, qui fauchent les Algériens par dizaines de milliers, ajoutent aux malheurs du temps. Le choléra fait son apparition, de manière sporadique, dès novembre 1865, et atteint Alger en 1866. Progressivement le mal s'étend à toute l'Algérie. En 1867, « l'épidémie redouble. D'autant plus qu'à l'hiver se joint, à partir de la deuxième quinzaine de janvier, le jeûne du Ramadan [2] ». La dysenterie, puis le typhus et la variole ici ou là – comme dans le cercle de Djidjelli –, allongent encore la liste des calamités.

---

1. Lettre citée par Aug. Marc, *L'illustration*, n° 1298, 11 janvier 1868, p. 18. La une du numéro suivant est consacrée à la famine en Algérie.

2. A. Nouschi, « La crise économique de 1866 à 1869 dans le Constantinois : aspect démographique », *Hespéris*, t. XLVI, année 1959, 1er et 2e trimestres, p. 111.

Quel bilan dresser de ces années au cours desquelles les sept plaies de l'Égypte se sont acharnées sur l'Algérie ? Les conséquences sont épouvantables. Les observateurs hésitent sur le chiffre des morts. Certains parlent de 500 000 victimes. Aucun ne descend au-dessous du chiffre de 300 000. À l'issue d'une étude scrupuleuse, André Nouschi conclut qu'au total, et « sans forcer les chiffres », la province de Constantine « a vu disparaître un cinquième de son potentiel humain[1] », ce qui, rapporté à toute l'Algérie, aboutit à la disparition d'au moins 550 000 Algériens. Annie Rey-Goldzeiguer estime que ce pourcentage est probablement inférieur à la réalité : « Au moins 20 % de la population indigène et principalement des jeunes disparaissent en l'espace de deux années. » En réalité, ajoute l'historienne, peu suspecte de nostalgie coloniale, « l'évaluation est encore faible par rapport à la réalité car les statistiques enfantines portent essentiellement sur les garçons, le nombre des filles étant rarement rendu public ». À sa suite, Djilali Sari élève l'estimation à 820 000 décès, 200 000 dans la province d'Alger, 220 000 dans celle de Constantine, 400 000 pour celle d'Oran, tout en précisant qu'il s'agit là d'une moyenne minimale et qu'en fait le « bilan moyen ne doit pas s'écarter d'un million de victimes[2] ».

---

1. *Ibid.*
2. D. Sari, *Le Désastre démographique de 1867-1868 en Algérie*, Alger, SNED, 1982, p. 130. Il est vrai, cependant, que

Cette catastrophe embarrasse les Repentants. Certains la passent tout simplement sous silence ; ceux qui en font état s'acharnent à imputer l'ampleur du désastre à la colonisation. Bouc émissaire idéal, en vérité.

Certes, la conquête, par ses ravages – récoltes dévastées, bétail enlevé ou tué, arbres coupés, silos de précaution razziés –, a indiscutablement affaibli la résistance des tribus aux fléaux naturels, en particulier celles qui ont été frappées par la très dure répression de l'insurrection de 1864-1865. Autres facteurs aggravants, directement liés à la colonisation, la désorganisation de l'économie traditionnelle, brutalement confrontée à l'économie de marché, et l'introduction de la fiscalité en numéraire, qui contraint les fellahs à vendre une partie de leurs productions, parfois au-delà de leurs possibilités.

Cependant, si la crise des années 1866-1869 est l'une des plus graves que l'Algérie a subies, elle n'est pas la première, loin de là : le Maghreb précolonial « est miné par la maladie », pour reprendre une expression de Lucette Valensi, et « les retours répétés d'épidémies meurtrières font de l'Afrique du Nord, à la fin du XVIIIe siècle et au début du XIXe, une région d'endémie »[1]. En 1778-1779, « la

___

l'auteur estime à cinq millions d'habitants la population de la Régence, en 1830.

[1]. L. Valensi, *Le Maghreb avant la prise d'Alger*, Flammarion, 1969, p. 20.

sécheresse provoque une terrible famine à Alger. Elle fut accompagnée de la peste qui dura deux ans ». En 1785-1786, « les récoltes manquèrent dans la région d'Alger pendant deux ans et la famine désola tout le royaume jusqu'aux frontières du Maroc. En 1786, la peste ravagea tous les territoires compris entre Alexandrie et Marrakech ». En 1794, la disette et la cherté des vivres sont extrêmes. En 1800, Alger subit à nouveau une grande disette. On manque de vivres et le pacha ordonne, pour approvisionner le pays, d'aller charger du blé dans la mer Noire. En 1805-1806, « une sécheresse extrême vint désoler la province de Constantine et détruire tout espoir de récolte. Les approvisionnements étant épuisés à la suite d'exportations massives, la famine se fit sentir dans toute l'Algérie. On vit des hommes manger des cadavres et, pendant un an, le fléau ne cessa pas de sévir ». En 1811, « la famine qui régnait à Tlemcen y avait amené la guerre civile [...]. À la même époque une grande disette de céréales régnait également dans la région de Cherchell ». De nouvelles pénuries se déclarent en 1817, puis en 1819. En 1821-1822 à Constantine encore, le blé et l'orge manquent partout. Le dey fait réquisitionner les réserves contenues dans ces fameux silos dont la destruction, au cours des razzias de l'armée française, serait cause de l'ampleur de la catastrophe de 1866-1869, « mais on ne put recueillir que des quantités insuffisantes pour nourrir la population.

Dans les campagnes et en ville la mortalité fut élevée » [1].

Les structures sociales antérieures à la colonisation, dont les Repentants font un si grand cas, n'offrent qu'une assistance limitée, sinon dérisoire, face aux calamités naturelles qui ravagent l'Algérie comme elles frappaient autrefois l'agriculture française sous l'Ancien Régime. Ces structures d'ailleurs n'ont pas disparu. Ainsi, les grandes familles, comme celle des Moqrani, s'endettent lourdement pour secourir les indigents placés sous leur protection, tandis que la Kabylie, moins gravement touchée, accueille et soulage les Algériens qui y trouvent refuge.

Pourquoi passer sous silence l'aide que la métropole apporte aux populations éprouvées, sinon parce qu'elle contredit la thèse d'une politique coloniale poursuivant l'extermination des Algériens ? Car Napoléon III, alerté, décide d'agir. Il fait savoir au maréchal de Mac-Mahon, alors gouverneur général de l'Algérie, qu'il lui accordera des secours. Au total, 2 400 000 francs de crédits sont votés pour venir assister les indigènes, mais seulement 660 000 francs sont effectivement utilisés. En outre, des arrivages massifs de blé, mais aussi

1. Les citations qui précèdent sont tirées de Ch. Bois, « Famines et sécheresses en Algérie », *Revue pour l'étude des calamités*, Genève, t. XII, janvier 1950-décembre 1951, p. 47-62.

de riz et de pommes de terre en provenance de métropole et d'Espagne complètent le dispositif. En 1868, l'Algérie achète quinze fois plus de blé à l'extérieur que trois ans auparavant. Alors qu'en 1864 et en 1865 la France livre à sa colonie pour moins de 45 000 francs de céréales et de farines, en 1868 elle en expédie pour près de 13 millions[1]. Des emprunts sont contractés auprès des grands établissements financiers installés en Algérie (Crédit foncier et Société générale algérienne, Compagnie algérienne) pour permettre aux fellahs de se procurer les semences nécessaires aux récoltes futures. Quel étrange comportement pour des colonisateurs impatients d'anéantir les indigènes que d'acheminer de quoi atténuer la famine qui les fait disparaître en masse !

Certes, au total, les secours sont très en deçà des besoins, comme s'en indigne, le 22 mars 1868, l'éditorialiste d'un grand journal parisien, *Le Temps*, cité par Annie Rey-Goldzeiguer : « 30 c par jour et par personne [...] suffisent à peine à empêcher strictement de mourir de faim la masse indigène. » Du reste, rien n'autorise à penser que les structures traditionnelles auraient offert une protection supérieure. Si la colonisation a bien amplifié les effets de la crise des années 1866-1869, elle en a aussi amorti les répercussions, sans que les

---

1. D'après Administration générale des douanes, *Tableau du commerce de la France*.

historiens puissent établir une balance entre les deux. Mais ce qui est tout aussi certain, c'est que l'accusation de génocide à l'égard du peuple algérien portée contre la France ne repose sur aucun fondement historique. Elle témoigne de l'ignorance de ceux qui s'y risquent ou, de l'autre côté de la Méditerranée, d'une manigance politique pour détourner les Algériens des causes réelles de leurs malheurs actuels.

Non, la conquête de l'Algérie n'a pas fait un million de victimes, mais plus probablement autour de 250 000 à 300 000, ce qui est déjà considérable. Non, ni l'armée ni l'administration françaises n'ont voulu ni n'ont perpétré l'extermination des Algériens. C'est d'ailleurs parce qu'ils ne peuvent pas concilier leur théorie du génocide avec l'assistance apportée aux populations accablées par les famines et les épidémies de 1866-1869 que les Repentants taisent cet aspect de la politique coloniale.

Au demeurant, si la colonisation est mère de tous les maux qui frappent les indigènes au cours de ces années noires, qu'on nous explique pourquoi la Tunisie et le Maroc, alors indemnes de toute pénétration coloniale, sont également la proie de semblables tourments ? Entre 1818 et 1820, la peste « emporte peut-être le quart de la population [1] » de la Régence de Tunis. En 1836,

---

1. D. Rivet, *Le Maghreb à l'épreuve de la colonisation*, Hachette, 2002, p. 141.

1848-1849 et 1856, le choléra prend le relais. Dans l'empire chérifien, l'année agricole 1849-1850 est tellement mauvaise que « les gens mangèrent des charognes, des cadavres et des herbes[1] ». L'année suivante la famine règne encore. Au même moment que l'Algérie et pour les mêmes raisons, le Maroc subit une crise démographique d'une ampleur comparable : de 2 652 000 habitants en 1866, la population du royaume tombe à 2 125 000 habitants en 1872, soit un recul de 527 000 habitants[2]. Faut-il y voir la main sournoise du colonialisme, plusieurs décennies avant les débuts des protectorats français ?

---

1. Ch. Bois, « Sécheresses et pluies au Maroc », *Revue pour l'étude des calamités*, Genève, t. XI, janvier 1948-décembre 1949, p. 33-71.
2. *Bulletin de la Société de géographie de Paris*, t. III, 1872, p. 287-305.

4

Du Palatinat à la Vendée

À défaut d'être assimilée à une entreprise géno-
cidaire, la conquête de l'Algérie devrait tout du
moins être considérée comme l'une des premières guerres à mettre en œuvre un mépris
absolu de l'adversaire. C'est là un credo de nos
Repentants : aux yeux des Français, les Algériens
étaient des « *homo nullius*, des hommes aux vies
sans valeur [1] », à l'égard desquels toute règle
d'humanité pouvait donc s'effacer. Ce qui est
important ici, c'est l'idée selon laquelle la
« déshumanisation » de l'adversaire n'a pu
prendre corps que face à des « indigènes »,
qu'elle n'a pas joué dans les conflits européens
antérieurs. « Messieurs les Français, tirez les premiers ! » serait la quintessence de nos guerres de
civilisés. On aimerait y croire...

Commençons par un épisode bien oublié
aujourd'hui, et qui, en son temps, traumatisa

---

1. G. Manceron, *Marianne et les colonies*, p. 295.

les contemporains : les massacres du Palatinat [1].

En novembre 1688, pour en finir avec la résistance opposée aux armées de Louis XIV par les populations du Palatinat, le ministre Louvois adresse au baron de Monclar les consignes suivantes : « Sa Majesté s'attend que vous chercherez des gens du pays, propres à y aller mettre le feu la nuit dans des maisons pour intimider les lieux qui ne croient pas à portée d'être contraints. Il faut user de même à l'égard des villes que l'on ne peut forcer, en faisant mettre le feu dans les villages de leurs dépendances. » En 1690, dans sa *Relation de la cour de France*, le diplomate Ézéchiel Spanheim évoque « les exécutions violentes et plus que barbares que le Conseil du Roi n'a point fait scrupule de pratiquer par incendies, saccagements et démolition totale de villes, forteresses, de châteaux, de bourgs, de villages situés sur le Neckre, le Haut-Rhin, le Main et la Moselle, et qu'il continue encore tous les jours », avant d'ajouter ce commentaire qui pourrait être placé, mot pour mot, dans la bouche de nos Repentants, s'il n'avait été tenu un siècle et demi avant la conquête de l'Algérie : « Cette conduite de la France est injuste, cruelle et fort opposée à toutes les lois et la pratique d'une

---

1. Sur le sac du Palatinat, comme sur les camisards, nous empruntons l'ensemble des références à J. Cornette, *Chronique du règne de Louis XIV*, SEDES, 1997.

juste guerre, d'ailleurs de l'humanité et du christianisme, on peut dire aussi qu'elle mérite autant de blâme que d'horreur que ceux qui en sont les auteurs prétendent d'en tirer d'avantage et de sûreté. ».

Le souvenir des massacres du Palatinat perdura longtemps. Près d'un siècle plus tard, Voltaire écrivait au roi de Prusse Frédéric II : « Si Turenne et Louvois ont mis le Palatinat en cendres, si le maréchal de Belle-Île osa proposer de faire un désert de la Hesse, ces sortes de conseils sont l'opprobre éternel de la nation française, qui, quoique très polie, s'est quelquefois emportée à des atrocités dignes des nations les plus barbares. »

En France même, l'État ne recule devant aucune violence, lorsque les fondements de son autorité et de sa légitimité sont mis en cause. En 1703, pour abattre les camisards qui s'étaient révoltés, au nom de la liberté de conscience, « toutes les paroisses protestantes du diocèse de Mende furent brûlées » à l'exception de cinq d'entre elles qui servent de cantonnement aux troupes royales et de lieux de regroupement forcé des paysans afin de priver les camisards de tout soutien. Ce qui, au passage, contredit la thèse de Gilles Manceron, selon laquelle l'Afrique coloniale fut un « terrain d'expérimentation [...] de nouvelles techniques de soumission des populations civiles (par exemple le déplacement de populations, leur "regroupement" et leur enfermement derrière les fils de fer barbelé des camps [1] ».

Pour en finir avec cette révolte, 25 000 soldats de l'armée régulière sont envoyés « pacifier » les terres huguenotes « au prix de centaines de villages, de hameaux et de fermes mis à feu » ; des soldats qui, comme l'indique un contemporain, « pillent, saccagent tout avec une cruauté horrible ».

Et le drame de la Vendée, comment peut-on le rayer d'un trait de plume ?

Le 24 février 1793, la situation critique aux frontières conduit la Convention à ordonner la levée de 300 000 hommes. Cette décision entraîne une révolte généralisée des campagnes de l'Ouest : en quelques semaines, les paysans en armes se rendent maîtres de la Vendée, du sud-ouest du Maine-et-Loire, du sud de la Loire-Inférieure, du nord-ouest des Deux-Sèvres. Pour mater l'insurrection, la Convention décrète, le 1er avril, la destruction de la Vendée si elle persévère dans sa rébellion [2]. Un nouveau décret, le 1er août, prescrit de tout incendier et piller en Vendée. À partir de septembre, les Vendéens se heurtent à une armée aguerrie, constituée de 25 000 hommes commandés par le général Kléber.

---

1. G. Manceron, *Marianne et les colonies*, p. 157.
2. R. Dupuy, *La République jacobine, Terreur, guerre et gouvernement révolutionnaire, 1792-1794*, Le Seuil, 2005, p. 141 *sq.*

Bien avant que Bugeaud organise ses colonnes légères destinées à « pacifier » l'Algérie, le Comité de salut public accepte, en janvier 1794, la proposition de Turreau, commandant en chef de l'armée de l'Ouest, de former douze colonnes pour ratisser la région d'est en ouest avec pour consigne expresse de « faire de la Vendée un désert ». Quatre mois durant, ces colonnes infernales sèment la désolation sur leur passage. L'ordre du jour du 17 janvier 1794, adressé aux commandants des colonnes, comporte des instructions particulièrement précises : « On emploiera tous les moyens de découvrir les rebelles, tous seront passés au fil de la baïonnette ; les villages, métairies, bois, landes, genêts et généralement tout ce qui peut être brûlé, seront livrés aux flammes [...]. Aucun village ou métairie ne pourra être brûlé qu'on n'en ait auparavant enlevé tous les grains battus ou en gerbes et généralement tous les objets de subsistance. » Les Commissions militaires fusillent sur-le-champ tous les Vendéens pris les armes à la main.

Campagnes dévastées, récoltes brûlées, cheptel razzié ou tué, une spécialité coloniale ? « Pendant des mois, les campagnes sont ravagées et les villes assiégées et investies tour à tour, provoquant des milliers de morts et des exodes considérables »[1].

Villes et villages pillés et brûlés ? Les troupes de Kléber incendient « méthodiquement » Clisson le

1. J.-Cl. Martin, *Violence et révolution, Essai sur la naissance d'un mythe national*, Le Seuil, 2006, p. 161.

13 octobre, Tiffauges le 14 et Montaigu le 24 octobre 1793. Autour de Nantes, « les campagnes sont soumises à des razzias visant à s'emparer de grains, mais aussi de biens, s'accompagnant dans certains cas d'atrocités, souvent à l'encontre des femmes, patriotes ou vendéennes [1] ». La victoire des Bleus au Mans, en décembre 1793, tourne au massacre de civils, comme en rend compte le commissaire du Maine-et-Loire, Benaben : « J'y fus témoin de toutes les horreurs que peut présenter une ville prise d'assaut. Les soldats s'étaient répandus dans les maisons, et ayant retiré les femmes et les filles des brigands qui n'avaient pas eu le temps d'en sortir et de prendre la fuite, les emmenaient dans les places ou dans les rues, où elles étaient entassées et égorgées sur-le-champ ; à coups de fusil, à coups de baïonnette, ou à coups de sabre [...]. Toute la route du Mans, jusqu'à cinq ou six lieues de Laval, était couverte des cadavres des Brigands, c'était la répétition de ce que j'avais vu depuis Angers jusqu'au Mans [2]. »

Le 17 janvier 1794, le général Huché adresse au commandant du bataillon de la Vienne l'ordre de mission suivant : « Avant de partir des villages [le commandant] les fera incendier sans réserve avec tous les bourgs, hameaux, métairies qui en dépendent ; il s'attachera spécialement à démolir et brûler les fours et moulins [...], il fera exterminer sans

---

1. *Ibid.*, p. 204.
2. Cité par Cl. Petitfrère, *La Vendée et les Vendéens*, Gallimard, 1981.

réserve tous les individus de tout âge et de tout sexe, qui sera convaincu d'avoir participé à la guerre de la Vendée ou à toute autre révolte attentatoire à la liberté[1]. »

Benaben ne laisse aucune illusion sur le sort qui attend les prisonniers : « Nos braves soldats, divisés en tirailleurs, après avoir jonché cette ville [Le Mans] de cadavres, ont poursuivi l'ennemi dans la plaine jusqu'auprès de Paimbœuf. Plus de douze cents Brigands, se voyant cernés de tous côtés, ont été obligés de mettre bas les armes et de demander la vie. Westerman en a fait fusiller quatre cents environ. Les autres l'ont été par les ordres de la commission militaire attachée à l'armée[2]. »

Le général Michaud, de son côté, préconise de prendre des otages, en des termes qui annoncent ceux dont useront les officiers chargés de faire régner l'ordre français en Algérie : « Toutes les administrations civiles ne valent rien ; il faudrait ou les changer ou constituer tout le pays en état de siège [...]. Je crois qu'il est de la plus haute importance, pour la prompte extermination des brigands, qu'il soit placé, dans chaque canton, un officier à poste fixe ; la mobilité des officiers ne leur permet pas d'acquérir la confiance des habitants, de se former un petit espionnage, ni de connaître les localités. Il serait bon aussi qu'on fût

1. *Ibid.*
2. *Ibid.*, p. 48-49.

autorisé à prendre des otages dans les communes les plus suspectes ; ces otages répondraient de la conduite de leurs compatriotes [...]. Il serait bien naturel aussi, je pense, qu'on pût saisir comme otages les proches parents des brigands notoirement connus pour assassiner et chouanner. Nous avons tel brigand dans ces contrées qui a sa femme, ses enfants dans le pays ; en leur disant à ces coquins : "Nous sommes maîtres du sort de ta femme et de tes enfants ; si tu bouges, leurs têtes nous répondront de ta conduite !" il me semble qu'on pourrait en ramener quelques-uns à l'ordre et à la tranquillité[1]. » La loi, dite des otages, promulguée le 12 juillet 1799, qui permet de jeter en prison comme otages les parents, alliés et amis des émigrés et insurgés, lui donne satisfaction. Pour chaque meurtre de fonctionnaire ou d'acquéreur de biens nationaux, quatre de ces otages peuvent être déportés en Guyane.

Avant même que la responsabilité collective des tribus algériennes soit mise en œuvre, elle est appliquée dans les départements de l'Ouest, par l'article 1er du titre IV de la loi du 10 vendémiaire an IV (1er octobre 1795). Quelques années plus tard, le général Kilmaine, dans une lettre adressée le 30 décembre 1798 au ministère, recommande

1. Ch.-L. Chassin, *Les Pacifications de l'Ouest, 1794-1801. Études documentaires sur la Révolution française*, t. I, Paul Dupont, 1896, p. 247.

d'aller au-delà en contraignant « les communes, non seulement responsables des vols et assassinats qui se commettent dans leur arrondissement, mais aussi de les condamner à restituer à la République les sommes que les brigands enlèveraient dans les caisses des receveurs. »

Le 17 octobre 1793, l'armée vendéenne est sévèrement battue devant Cholet. Commence alors l'effroyable « virée de Galerne » qui s'achève, le 23 décembre, par la bataille de Savenay. À l'issue des combats, le général Westermann, qui commande les troupes républicaines, écrit à la Convention : « Il n'y a plus de Vendée, elle est morte sous notre sabre libre, avec ses femmes et ses enfants. Je viens de l'enterrer dans les marais et les bois de Savenay. Suivant les ordres que vous m'avez donnés, j'ai écrasé les enfants sous les pieds des chevaux, massacré les femmes qui au moins pour celles-là n'enfanteront plus de brigands. Je n'ai pas de prisonnier à me reprocher, j'ai tout exterminé. [...] Nous ne faisons plus de prisonniers, il faudrait leur donner le pain de la liberté, et la pitié n'est pas révolutionnaire[1]. »

Les rodomontades de Westermann traduisent très imparfaitement la réalité. D'une part, si la Vendée militaire est bien morte à Savenay, elle

---

1. P. Bois, « La Vendée contre la République », *L'Histoire*, octobre 1980, p. 14.

cède la place à la chouannerie, une guérilla qui se prolonge jusqu'au Consulat. D'autre part, les Bleus ont fait des milliers de prisonniers – hommes, femmes et enfants, qui sont conduits à Nantes. Entassés dans les entrepôts du port, dans des conditions d'hygiène épouvantables, ils meurent par centaines d'épidémies qui menacent bientôt la ville. Le représentant en mission, Carrier, décide de s'en débarrasser. En deux mois, de la fin décembre 1793 à la fin février 1794, 2 600 sont fusillés, pour certains après avoir été torturés ou violés[1]. Comme, à ce rythme, il devient de plus en plus difficile d'enterrer les cadavres, Carrier organise des noyades. « On opérait la nuit sur de grosses barques avec des sabords à fond de cale que l'on ouvrait au milieu du fleuve pour immerger le bateau et sa cargaison de prisonniers entravés et liés entre eux[2]. » Combien périssent ainsi ? Le nombre n'est pas connu : entre 7 et 11 noyades ont lieu, chacune entraînant de 300 à 400 victimes. À Angers et à Saumur on procède aussi de la sorte.

Les femmes et les enfants ne sont pas épargnés. Le représentant en mission, Léquinio, témoigne : « Les délits ne se sont pas bornés au pillage ; le viol et la barbarie la plus outrée se sont représentés dans tous les coins. On a vu des militaires républicains violer des femmes rebelles sur les pierres amoncelées le long des grandes routes et les fusiller ou les

---

1. J.-Cl. Martin, *Violence et révolution*, p. 204.
2. R. Dupuy, *La République jacobine*, p. 170.

poignarder en sortant de leurs bras. On en a vu d'autres porter des enfants à la mamelle au bout de la baïonnette ou de la pique, qui avait percé du même coup la mère et l'enfant. Les rebelles n'ont pas été les seules victimes de la brutalité des soldats et des officiers ; les filles et les femmes des patriotes ont été souvent mises en réquisition ; c'est le terme [1]. »

La lecture du « Livret journalier et mémoratif » tenu par le gendarme Graviche atteste bien que la frontière entre combattants et civils est abolie : « Le 3 [décembre 1793] parti pour attaquer l'ennemi à Jalet [...]. Incendie de Jalet, cercle de l'insurrection. Le 5, reparti pour Jalet, où nous avons occupé la hauteur au-delà, du côté de la Chapelle où on a passé hommes et femmes au fil de l'épée ou fusillé, ayant donné retraite à nos volontaires et ayant été chercher les brigands qui les égorgèrent. Le 13, massacre de femmes et d'enfants entre Beaupréau et Jalet, à Saint-Laurent-de-la-Plaine [2]. »

Et l'horreur est sans limites : en mars 1793, à La Rochelle, « des sans-culottes, hommes et femmes, se saisissent de prêtres réfractaires prisonniers, les lynchent, les éventrent et les démembrent puis se promènent dans la ville en arborant des restes humains, têtes, organes internes, testicules [3] ».

1. Cité par Cl. Petitfrère, *La Vendée et les Vendéens*, p. 57.
2. *Ibid.*, p. 61.
3. J.-Cl. Martin, *Violence et révolution*, p. 162.

Tout cela aux accents d'un discours qui exclut déjà l'adversaire du genre humain, et dont le XIXᵉ siècle offre maints exemples : c'est Dumas fils qui parle des communardes comme de « femelles » qui ne ressemblent à des femmes que lorsqu'elles « sont mortes ». C'est le langage méprisant d'une partie des élites sur les classes laborieuses, dont Eugen Weber donne des illustrations saisissantes dans sa *Fin des terroirs* : en 1831, le préfet de l'Ariège déclare que la population des vallées pyrénéennes est aussi « brutale que les ours qu'elle élève ». En 1840, selon un officier d'état-major, les Morvandiaux poussent « des hurlements aussi sauvages que ceux des bêtes ». Au début de 1860, les habitants de la Sarthe sont des « sauvages » qui vivent comme des « troglodytes » et dorment « sur des bottes de bruyères comme des chats sur des copeaux ». En Bretagne, les enfants qui, en 1880, entrent à l'école « sont comme ceux des pays où la civilisation n'a pas pénétré : sauvages, sales, ne comprenant pas un mot de la langue ». « Ses vêtements sont sordides ; sous sa peau épaisse et tannée on ne voit pas le sang circuler. Le regard sauvage et morne ne trahit pas le mouvement d'une idée dans le cerveau de cet être, atrophié moralement et physiquement. » Description raciste d'un Algérien par un officier de l'armée d'Afrique ? Non ! portrait d'un paysan du Limousin, dressé en 1865, par une propriétaire terrienne, tandis que, pour un fonctionnaire de la Sarthe, les populations vivant près du Mans ne sont qu'un ramassis d'ignorants qui « n'ont aucun scrupule en matière de tromperie et de fraude ».

Et l'on surprendra sans doute bien des Repentants en citant ce spécialiste du folklore français, Sylvain Trébucq, lequel, après avoir parcouru les provinces de l'Ouest, de la Vendée aux Pyrénées, se félicite de ce que les « sauvages » de ces régions montrent un goût prononcé du rythme[1] : comme les Noirs, en somme !

Les Algériens ne sont donc ni les premiers ni les seuls à peupler le bestiaire des élites ; Blancs de Vendée et communards de Paris, paysans et ouvriers de France ont aussi illustré quelques pages de ce triste album. La colonisation n'a décidément rien inventé à cet égard !

Si, dans la guerre qui oppose les armées révolutionnaires à la Vendée puis à la chouannerie, on trouve, de part et d'autre, toutes les horreurs que l'on nous dit propres à la conquête de l'Algérie, c'est parce que bien des similitudes rapprochent ces deux conflits. S'interrogeant sur les origines de cette violence révolutionnaire, Jean-Clément Martin, dans un essai essentiel, propose cet élément d'explication, parfaitement transposable à l'Algérie : « Ignorants des intentions de leurs adversaires vus comme des êtres pernicieux, perdus dans

---

1. Cité par Eugen Weber, *La Fin des terroirs*, Fayard, 1983, p. 19.

les complexités politiques mais convaincus de défendre la nation, effrayés de la sauvagerie des combats et des risques courus en rencontrant une population "civile" dont ils ne comprennent pas la langue et dont ils doivent craindre des attaques en permanence, ils ne peuvent que répondre par une violence de plus en plus grande au fur et à mesure que le conflit dure[1]. »

D'autant plus qu'en Vendée, comme plus tard en Algérie, « les officiers et les soldats d'une armée de ligne ont à cette époque une sainte horreur de ce qui est appelé "petite guerre", on dirait aujourd'hui guérilla, dans les écoles militaires. Les pratiques de la guerre sont codifiées, les troupes rangées en colonnes ou en files s'affrontent dans des combats qui mettent en valeur l'habileté des chefs à faire manœuvrer des hommes chargés de tirer sur l'ennemi selon des feux roulants qui seuls sont efficaces, parce que les fusils ne touchent leur cible qu'à moins de cinquante mètres. Or, lorsque les "partisans" se soulèvent contre ces troupes régulières, ils n'appliquent pas ces règles, mais constituent des bandes mobiles, fluctuantes, qui se cachent ou réapparaissent là où on ne les attend pas ; pire, une partie d'entre eux sont de bons chasseurs qui, par souci habituel de ne pas gâcher la poudre, ajustent leurs hommes et font mouche à tous les coups. Sans doute les Vendéens ont-ils affronté les Républicains

---

1. J.-Cl. Martin, *Violence et révolution*, p. 200.

dans des "chocs" presque ordinaires, masse contre masse, pendant des heures entières [...], mais, pour l'essentiel, ce qui a fait la force des armées vendéennes a été leur mobilité et leur capacité de choisir le lieu de l'affrontement. Si bien que leurs adversaires ne comprenant pas comment les victoires qu'ils remportent peuvent être suivies de défaites, sont continuellement sur le qui-vive puisque leurs avancées sont surveillées, et que, au hasard d'un champ de blé ou d'une vallée, ils peuvent se trouver face à face avec une troupe de plusieurs milliers de Vendéens qui, le cas échéant, disparaîtront aussi vite qu'ils sont venus [1]. »

Peut-on dresser un bilan précis des pertes dues à cette guerre fratricide ? Les historiens spécialistes de la question concluent qu'il est impossible d'y parvenir. Jean-Clément Martin, qui avance le chiffre d'au moins 200 000 morts, Blancs et Bleus confondus, soit 20 % à 25 % de la population des quatre départements directement touchés par la guerre, évoque deux exemples de pièges tendus à celui qui proposerait des chiffres sans s'être entouré des précautions nécessaires ni s'être assuré de ses sources d'information. Au Loroux-Bottereau, en Loire-Atlantique, on juge que la répression a fait entre 1 500 et 4 500 victimes. En réalité, à l'issue d'une vérification précise, on n'en comptabilise pas plus de 1 000, « car de

---

1. J.-Cl. Martin et X. Lardière, *Le Massacre des Lucs, Vendée 1794*, Vouillé, Geste Éditions, 1992, p. 35.

nombreuses personnes, déplacées ou cachées, ont réapparu ensuite ». Deuxième exemple, celui, bien connu, des massacres commis aux Lucs-sur-Boulogne. Une liste, dressée en 1794, « comptabilise manifestement l'ensemble des habitants tués depuis 1789, alors que toute une tradition veut la voir comme le résultat d'un massacre unique commis en deux jours de février 1794. Les conclusions sont évidemment fort divergentes selon la lecture adoptée [1] ».

Belle leçon de méthodologie historique que les Repentants feraient bien de méditer...

Bien avant les Algériens, les habitants du Palatinat, les camisards, les Vendéens ont subi la panoplie complète des « brutalités » dont les Repentants situent faussement les origines dans la conquête coloniale. Du reste, les hommes de la colonisation dressent eux-mêmes le parallèle entre la Vendée et la guerre qu'ils pratiquent en Afrique. Tocqueville cite Bugeaud parlant de « chouannerie » pour qualifier la guerre des Algériens [2] ; un interprète militaire, Alexandre Bellemare, évoque de son côté « les difficultés de cette Vendée musulmane contre laquelle nous allons avoir à lutter [3] ».

---

1. J.-Cl. Martin, *Violence et révolution*, p. 245.

2. A. de Tocqueville, « Intervention dans le débat sur les crédits extraordinaires de 1846 », *Œuvres complètes*, t. III, Gallimard, 1962, p. 293.

3. A. Bellemare, *Abd el-Kader, Sa vie politique et militaire*, Hachette, 1863, p. 264.

C'est d'ailleurs dans une autre terre d'Europe, en Espagne, que les chefs de l'armée d'Afrique ont fait leurs classes. Bugeaud le premier. Le 7 juin 1836, le lendemain de son arrivée au camp de la Tafna, au milieu de ses officiers d'état-major qu'il réunit pour la première fois, le général déclare : « J'ai eu, pour ma part, quelques succès contre les guérillas en Aragon, sous les ordres du maréchal Suchet [...]. Cette guerre de guérilla ressemble à celle des Kabyles ; j'ai été assez heureux pour battre souvent les Espagnols, j'espère l'être encore suffisamment pour battre les Arabes, en employant les mêmes moyens [1]. »

Pourquoi évoquer ce souvenir ?

Le 17 janvier 1809, Napoléon, qui vient d'écraser les armées espagnoles, quitte Valladolid pour regagner Paris, persuadé que le royaume ibérique est totalement soumis, sous la garde de son frère Joseph. Mais ce que l'Empereur ignore, c'est que « s'il n'existe plus de forces espagnoles, partout se dressent les Espagnols [...]. Désormais, dans un pays complètement soulevé, les Français vainqueurs des armées ennemies vont devoir lutter contre un peuple ; désormais à la guerre régulière succède

---

1. Harangue du général Bugeaud à ses officiers, le 7 juin 1836, citée in G. Bapst, *Le Maréchal Canrobert*, p. 253. A. Lichtenberger rapporte des propos semblables dans la biographie qu'il a consacrée à Bugeaud (Plon, 1931, p. 86).

la guerre nationale espagnole : une lutte sans merci, "a cuchillo", la guérilla[1] ».

Comme les Vendéens ou les paysans français, les Espagnols sont rejetés aux franges de l'humanité par les officiers qui traversent le pays : « Ces Espagnols toutefois étaient d'une saleté repoussante. Chez eux, nul bien-être, une nourriture épouvantable, un abêtissement complet ; ils vivaient couverts de vermine sous le même toit que leurs animaux ; nulle instruction, nul développement de l'intelligence ; les prêtres et les moines régnaient en maîtres sur cette population superstitieuse et sans libre arbitre[2]. »

Avant les méthodes mises en œuvre par Bugeaud en Afrique, Soult décide, « pour dompter toute résistance dans l'Aragon et purger les montagnes de toute guérilla », de mettre sur pied des colonnes mobiles, « unités de composition variable, créées à la demande, qui ont pris en Espagne, dans cette guerre fluide et vaporeuse, une importance croissante »[3]. Le général Thiébault, gouverneur de Burgos, qui recourt avec succès à ce système, en élabore même un véritable mode d'emploi : « À force de marches et de contremarches, de crochets,

1. J.-L. Reynaud, *Contre-guérilla en Espagne, 1808-1814*, Economica, 1992, p. 31.

2. Témoignage du capitaine Aymonin rapporté in G. Bapst, *Le Maréchal Canrobert,* p. 87.

3. J.-L. Reynaud, *Contre-guérilla en Espagne, 1808-1814*, p. 98.

de ruses, d'embuscades, en faisant des trajets réputés impossibles, grâce au secours de quelques espions et [...] au soin que je prenais de tromper jusqu'à mes aides de camp et mes secrétaires sur mes moindres projets, je ne marchais jamais contre ces guérillas sans les joindre, sans les battre[1]. »

La prise de Saragosse, à laquelle Bugeaud, qui n'était encore que chef de bataillon, participe, donne lieu à des combats tout aussi intenses et tout aussi meurtriers que ceux de Constantine : après cinquante-deux jours d'un terrible siège, commencé le 20 décembre 1808, le premier assaut est donné le 11 janvier 1809. Mais pour conquérir la ville, vingt-trois jours de combats, rue par rue, maison par maison, sont encore nécessaires. Le 21 février, les derniers défenseurs capitulent. Près de 60 000 Espagnols sont morts, dont un grand nombre de civils.

Un dernier rapprochement : le général Loison, qui fit massacrer, en 1808, la population de la ville d'Evora, au Portugal, devient un véritable croque-mitaine pour les Espagnols. « Quoiqu'il eût un bras de moins, il n'était pas "manchot" pour répri-mer une insurrection ou faire des représailles. Il acquit même dans ce genre d'opération une répu-tation demeurée célèbre en Portugal et en Espagne. Le général *Mannetta* (manchot en espagnol) était

---

1. *Mémoires du général baron Thiébault*, t. IV, Plon, 1896, p. 357.

synonyme de loup ou de diable ; et les mères évoquèrent longtemps son nom comme celui du diable pour faire peur à leurs enfants[1]. » En Algérie, des générations durant, l'ogre Bugeaud – « Bijou » – servira à effrayer les enfants désobéissants. Mohammed Harbi se souvient que lorsque sa mère voulait qu'il dormît, elle le menaçait : « Dors, ou j'appelle Bijou qui va te manger[2]. »

1. G. Bapst, *Le Maréchal Canrobert*, p. 90
2. M. Harbi, *Une vie debout*, t. I, La Découverte, 2001, p. 10.

5

Civilisés, dites-vous

Après la conquête de l'Algérie, la guerre conventionnelle, civilisée, celle qui délimite précisément le champ de bataille et préserve l'arrière, distingue les combattants des civils, épargne les femmes et les enfants, protège les prisonniers et respecte les morts, interdit l'usage de certaines armes et évite toute destruction inutile, bref cette guerre dont les conventions internationales, comme celles de La Haye de 1899 et de 1907, définissent les règles, a-t-elle jamais existé ailleurs que dans les textes des traités ? Gilles Manceron feint de le croire, lorsqu'il s'indigne de ce que la France, lors de la construction de son empire colonial et chaque fois qu'elle s'est heurtée à des résistances, « a eu recours à la guerre. Une guerre sans loi qui, du propre aveu de ceux qui l'ont faite, ne s'embarrasse pas des règles humanitaires que l'Europe a commencé à adopter, avec la première convention internationale créant la

Croix-Rouge en 1864 et les conventions de La Haye[1] ».

Passons sur ce bel anachronisme, puisque, au moment de la ratification des conventions de La Haye « sur les lois et coutumes de la guerre », les conquêtes coloniales sont pratiquement partout achevées. Mais demandons-nous : ces conventions ont-elles jamais été respectées par les belligérants au cours du XXe siècle ? Deux exemples sont particulièrement édifiants.

En 1912-1913, les Balkans s'enflamment pour la deuxième fois depuis le début du siècle. Le 17 octobre 1912, la Serbie, la Grèce et la Bulgarie engagent les hostilités contre l'Empire ottoman. En trois semaines, les alliés occupent la Macédoine tandis que l'armée bulgare est aux portes de Constantinople. Le 3 décembre, le gouvernement ottoman demande l'armistice et le 30 mai 1913, le traité de Londres contraint les Turcs à céder toute la partie européenne de l'empire, à l'exception d'une portion de la Thrace. Moins d'un mois plus tard, la guerre reprend à propos du partage de la Macédoine. Le 25 juin 1913, la Bulgarie attaque ses alliés de la veille auxquels la Roumanie vient prêter main-forte. Menacée d'écrasement, la Bulgarie sollicite la paix qui est rétablie par le traité de Bucarest du 10 août.

―――――――

1. G. Manceron, *Marianne et les colonies*, p. 150.

Dans les mois qui suivent, la Dotation Carnegie pour la paix internationale diligente une enquête, destinée à vérifier si les dispositions des Conventions de La Haye ont bien été respectées par les belligérants. Quelles sont ces dispositions ?

L'article 4 de la convention impose de traiter « avec humanité » les prisonniers de guerre. L'article 21 renvoie à la Convention de Genève du 22 août 1864, sur la protection et les soins à accorder aux blessés et aux malades. L'article 23 interdit « d'employer des armes, des projectiles ou des matières propres à causer des maux superflus » et « de détruire ou de saisir des propriétés ennemies ». L'article 25 proscrit le bombardement « des villes, villages, habitations ou bâtiments qui ne sont pas défendus », l'article 28 « de livrer au pillage même une ville ou localité prise d'assaut ». Dans les territoires occupés (article 46), « l'honneur et les droits de la famille, la vie des individus et la propriété privée, ainsi que les convictions religieuses et l'exercice des cultes, doivent être respectés. La propriété privée ne peut pas être confisquée », tandis que l'article 47 interdit « formellement » le pillage.

Le rapport des enquêteurs de la Dotation, rendu public en 1914, est effrayant : « Il n'y a pas dans le droit international une clause relative à la guerre sur terre et au traitement des blessés qui, dans une mesure plus ou moins grande, n'ait été violée par tous les belligérants [...] malgré l'existence d'une convention internationale qu'ils ont tous signée et qui n'est autre que la Convention internationale concernant les lois et coutumes de guerre sur terre et l'Annexe qui l'accompagne, élaborées l'une et l'autre après la seconde conférence de La Haye, en 1907 [qui] est restée inconnue des armées balkaniques en général, à l'exception, peut-être, de quelques officiers isolés[1]. »

Les témoignages recueillis et les documents réunis sont accablants. Pour notre édification sur la manière dont les Européens se font la guerre entre eux, à peine séchée l'encre des conventions internationales qu'ils ont négociées et ratifiées, voici quelques extraits de lettres de soldats grecs[2], qui pourraient tout aussi bien avoir été écrites par des Bulgares ou des Serbes.

Spiliotopoulos Philippes note, le 11 juillet 1913 : « Nous avons incendié tous les villages abandonnés par les Bulgares [...]. Sur les 1 200 prisonniers que nous avons faits à Nigrita, il n'en est resté que 41 dans les prisons. » Nicos Théophilatos, le 11 juillet 1913 : « On m'a donné 16 prisonniers pour les remettre à la division et je n'en ai amené que 2 seulement. Les autres ont été mangés par les ténèbres, massacrés par moi. » N. Zevras, le 12 juillet : « Nous avons violé toutes les jeunes

---

1. *Enquête dans les Balkans. Rapport présenté aux directeurs de la Dotation Carnegie par les membres de la Commission d'enquête*, 1914, Centre européen de la Dotation Carnegie, G. Crès, p. 201 et 205-206.

2. *Ibid.*, p. 313 *sq.*

filles rencontrées. » S.Z. Kaliyanis, le 13 juillet :
« Nous incendions tous les villages bulgares que
nous occupons et nous tuons tous les Bulgares
qui nous tombent dans les mains. » Anastase Ath.
Patros, le 14 : « Cher cousin, nous brûlons ici des
villages et nous tuons des Bulgares, femmes et
enfants. »

L'utilisation des armes prohibées, en particulier
ces balles « dum-dum » proscrites dans les conflits
entre États européens, mais que ces derniers « s'au-
torisent donc à utiliser en Afrique[1] » est, pour
Gilles Manceron, une nouvelle preuve que les dirigeants de la IIIe République divisent « l'humanité
en "civilisés" et "sauvages" », justifiant « la non-
applicabilité du droit international aux "peuples
barbares"[2] ». Affirmation péremptoire, qui nous
conduit à déplacer les limites de l'Afrique jusqu'au
cœur de l'Europe puisque, selon les enquêteurs de
la Dotation Carnegie, « on savait déjà que pendant
les guerres balkaniques, les balles à incision, dites
balles "dum-dum", ont été employées par les
soldats turcs. On vient d'apprendre que ces
mêmes projectiles furent utilisés par les soldats
chrétiens[3] ».

La directrice de l'école de filles de l'Alliance
israélite universelle d'Andrinople livre un autre

---

1. G. Manceron, *Marianne et les colonies*, p. 157.
2. *Ibid.*, p. 157-158.
3. *Enquête dans les Balkans*, p. 316.

témoignage sur le recours à des armes interdites. Dans son *Journal du siège d'Andrinople*, elle écrit que les Bulgares n'hésitent pas à bombarder la cité turque, des mois durant, avec des shrapnells, obus « qui versent une pluie de ferraille, de balles et d'éclats d'obus partout où ils éclatent. C'est la loterie de la mort et quelle mort[1] ».

La Première Guerre mondiale constitue, enfin, un démenti cinglant à ceux qui pensent qu'avant le régime hitlérien les procédés les plus barbares étaient bannis des guerres européennes. Une littérature historique considérable fait litière de ces billevesées. Stéphane Audoin-Rouzeau relève ainsi que, dès 1914, et de manière « très répandue », « les pratiques de mise à mort immédiate des blessés/prisonniers se sont généralisées [...] dès les débuts des invasions d'août-septembre 1914 en France et en Belgique certes, mais aussi en Prusse orientale et en Pologne russe[2] ». Le même constat est dressé par Annette Becker, à la suite d'une enquête approfondie notamment dans les archives du Vatican et du Comité international de la Croix-Rouge : « tout prouve que blessés et prisonniers étaient souvent traités sur les champs de bataille

1. A. Guéron, *Journal du siège d'Andrinople*, Istanbul, Les éditions Isis, 2001, p. 23.

2. S. Audoin-Rouzeau, « Au cœur de la guerre : la violence du champ de bataille pendant les deux conflits mondiaux », contribution à *La Violence de guerre, 1914-1945*, Bruxelles, Complexe, 2002, p. 88.

mêmes, par tous les camps, de façon atroce, incompatible avec les conventions ratifiées[1] ».

Des pratiques de cruauté sont massivement présentes, du côté allemand comme de la part des Russes, qui toutes « visent la profanation de l'intégrité corporelle de son adversaire, de son visage en particulier. Les yeux sont crevés ou énucléés ; les visages sont dépouillés de leurs oreilles, de leur nez, les bouches de leur langue. Sur le reste du corps, on note la fréquence de l'ablation des doigts, de l'arrachement des ongles, des organes sexuels, de la peau elle-même ». L'animalisation du corps de l'adversaire est signalée à de multiples reprises : « Corps suspendus par les pieds vidés de leur sang, énucléés, en partie dépouillés de leur peau, parfois éventrés : il n'est pas difficile d'établir la correspondance avec la mise à mort des lapins et des porcs dans les campagnes[2]. »

Un mot, pour finir, sur les populations civiles ; Annette Becker détaille la « somme des malheurs » qui s'est abattue sur le Nord de la France occupé par les Allemands : prises d'otages, viols des femmes, travail forcé : « peu à peu les réquisitions vident les maisons et les entreprises [...]. On éventre le Nord qui meurt de faim et de froid[3] ». Tout cela, bien sûr, au mépris des sacro-saintes conventions...

---

1. A. Becker, *Oubliés de la Grande Guerre, Humanitaire et culture de guerre*, Hachette Littérature, 1998, p. 275.

2. S. Audoin-Rouzeau, « Au cœur de la guerre », p. 91 *sq*.

3. A. Becker, *Oubliés de la Grande Guerre*, p. 46 *sq*.

6

Le rêve « cotonial »

Le 28 juillet 1885, devant une Chambre des députés qui, quelques mois plus tôt, lui a retiré sa confiance, Jules Ferry développe avec éloquence la « question coloniale ». Dans ce plaidoyer *pro domo*, le président du Conseil déchu soutient que les colonies « sont, pour les pays riches, un placement de capitaux des plus avantageux [...]. Je dis que la France, qui a toujours regorgé de capitaux et en a exporté des quantités considérables à l'étranger [...] qui est si riche ; je dis que la France a intérêt à considérer ce côté de la question coloniale. Mais, messieurs, il y a un autre côté plus important de cette question, qui domine de beaucoup celui auquel je viens de toucher. La question coloniale, c'est, pour les pays voués par la nature même de leur industrie, à une grande exportation, comme la nôtre la question même des débouchés. [...] Au temps où nous sommes et dans la crise que traversent toutes les industries européennes, la fondation d'une colonie, c'est la création d'un débouché ». Bref, la colonisation est « fille de la politique industrielle [1] ».

Pour une France alors en pleine dépression, dans un monde gagné par le protectionnisme, les colonies relanceraient l'industrie et contribueraient ainsi à éloigner d'autant la menace du chômage et de la crise sociale, alors que le spectre de la Commune de Paris (1871) hante toujours les esprits. Lénine, au fond, ne rien dit d'autre, trois décennies plus tard, dans sa célèbre brochure, *L'Impérialisme, stade suprême du capitalisme*, rédigée au printemps 1916, lorsqu'il avance que « plus le capitalisme est développé, plus le manque de matières premières se fait sentir, plus la concurrence et la recherche des sources de matières premières dans le monde entier sont acharnées, et plus est brutale la lutte pour la possession des colonies » car seule cette dernière « donne aux monopoles de complètes garanties de succès contre tous les aléas de la lutte avec ses rivaux [...]. L'exportation des capitaux trouve également son intérêt dans la conquête des colonies, car il est plus facile sur le marché colonial (c'est parfois même le seul terrain où la chose soit possible) d'éliminer un concurrent par les moyens du monopole, de s'assurer une commande, d'affermir les "relations" nécessaires ; etc. [2] ».

---

1. J. Ferry, *Le Tonkin et la mère-patrie*, Havard, 1890, p. 40.
2. Lénine, *L'Impérialisme, stade suprême du capitalisme*, *Œuvres complètes*, t. XXII, Paris-Moscou, 1960, p. 281-283.

En clair, la prospérité et l'essor économique de la France reposent sur l'exploitation des colonies et de leurs peuples. À elle seule, cette utilité économique de l'empire colonial motive sa conquête, même si d'autres facteurs ont joué. À l'heure des décolonisations, elle justifiera aussi les efforts acharnés qui seront déployés pour le conserver. Dès les premiers mois de la guerre d'Algérie, le syndicat patronal des industries cotonnières ne déclare-t-il pas avoir sa « pensée tout entière fixée sur la lutte qui se déroule en Algérie et dont dépend, pour notre industrie, la conservation non seulement de cette partie intégrante du marché national, mais sans doute, et à plus ou moins brève échéance, de tous nos débouchés d'outre-mer » ? Avant de poursuivre, en juin 1960 : « Quand l'enjeu est encore de 15 % d'une production on doit s'acharner à lutter [1]. »

Bien que généralement admise comme une évidence, peut-être parce que sur ce point le leader bolchevik rejoint le député bourgeois des Vosges, cette argumentation mérite pourtant d'être reconsidérée de plus près : les colonies ont-elles fourni à la France les matières premières, les débouchés et les opportunités de placements rémunérateurs nécessaires à son expansion économique ?

---

1. Industrie cotonnière française (ICF), avril 1956, Rapport d'activité du Syndicat général des industries cotonnières pour l'année 1955, puis juin 1960.

Lorsque Jules Ferry monte à la tribune de la Chambre des députés, tous les parlementaires ont à l'esprit l'importance de la facture que le pays acquitte chaque année pour fournir son industrie en matières premières importées. Voici comment se présente la balance commerciale de la France en 1885 (en millions de francs) :

	Importations	Exportations
Objets d'alimentation	1 455	750
Matières premières nécessaires à l'industrie	2 023	707
Objets fabriqués	610	1 631
Total	4 088	3 088

Ce tableau appelle trois commentaires : premièrement, la balance est déficitaire, les exportations ne couvrent qu'aux trois quarts les importations et laissent un solde négatif de 1 000 millions de francs. Deuxièmement, les « matières premières nécessaires à l'industrie », qui représentent près de 50 % de la valeur des importations, entrent seulement pour 23 % des exportations. Enfin, le déficit de ce poste, 1 316 millions de francs, est égal à 1,30 fois le déficit total de la balance commerciale. Cette année-là n'a rien d'exceptionnel : les achats de matières premières constituent, depuis le milieu du XIXe siècle, une part prépondérante des importations françaises et le principal facteur du déséquilibre récurrent de la balance commerciale. Bon an, mal an, mais avec de fortes variations, ce constat peut être dressé pour toute la période qui nous intéresse : en 1913, le déficit de ce poste équivaut à 87 % du déficit commercial total, en 1928, près de dix fois sa valeur, et en 1953, plus de trois fois.

On comprend mieux, à lire ces statistiques, cet appétit de matières premières qu'on trouve au tout premier rang des arguments en faveur de l'expansion coloniale. Déjà, en 1832, alors que la bataille fait rage pour savoir s'il convient ou non de conserver et d'étendre les récentes conquêtes algériennes, les milieux d'affaires marseillais, alors « colonistes » résolus, s'appuient, pour faire triompher leur point de vue, sur un rapport de la Société d'horticulture de Paris, qui recense les cultures pouvant réussir à Alger. À vue de nez, elles y sont presque toutes : « Blé, riz, maïs, raisins frais et sec, olives, liège, dattes, citrons, oranges, figues, bananes, *Phormium tenax* [1] qui serait d'un si grand secours pour la marine, coton, mûrier, indigo, tabac, aussi bon que celui de Virginie ou de La Havane, abricots, prunes, pommes, poires, coings, melons, pastèques, haricots, fèves, pistaches, térébinthe, mangues, goyaves, avocats, ananas. Même le camphrier, le caoutchouc, le cannelier figurent dans cette évocation du paradis terrestre [2]. »

---

1. Espèce de chanvre de Nouvelle-Zélande utilisé pour la confection de voiles de marine.
2. P. Guiral, *Marseille et l'Algérie, 1830-1941*, Ophrys, 1956, p. 69. Le rapport de la Société d'horticulture est intégralement reproduit dans les numéros du 21 au 27 juin 1832 du *Sémaphore de Marseille*.

Pendant des dizaines d'années, cette espérance va donner lieu à mille discours et à autant de projets et de tentatives. Comment ne pas songer à ces agronomes de salon du siècle des Lumières, raillés par Voltaire : « Vers l'an 1750, la nation rassasiée de vers, de tragédies, de comédies, d'opéras, de romans, d'histoires romanesques, de réflexions morales plus romanesques encore, de disputes théologiques sur la grâce et les convulsions, se mit enfin à raisonner sur les blés. On oublia même les vignes pour ne parler que du froment et du seigle. On écrivit des choses utiles sur l'agriculture ; tout le monde les lut, excepté les laboureurs. On supposa, au sortir de l'opéra-comique, que la France avait prodigieusement du blé à vendre[1]. »

Comme ces moissons pléthoriques, tout droit sorties de l'imagination d'esprits enfiévrés, la corne d'abondance impériale a-t-elle existé en dehors des discours qui la décrivent et des images qui la montrent ? A-t-elle jamais été autre chose qu'une chimère, un thème de propagande pour les défenseurs de la colonisation et pour ses détracteurs ? Trouve-t-on, à l'origine du développement économique de la France, et plus généralement de l'Occident ou du « Nord », le pillage de ces richesses coloniales ?

---

1. Voltaire, « Blé ou bled », *Dictionnaire philosophique*, Werdet et Lequien fils, 1829, vol. 2, p. 369.

De la fin du XIXᵉ siècle à l'achèvement des décolonisations, six à sept produits représentent, bon an, mal an, le gros des besoins de l'industrie française, à l'exception du minerai de fer dont la France est abondamment pourvue : la houille, la laine, le coton, la soie, les oléagineux, le bois et les pâtes de bois. Ces produits comptent pour plus de la moitié des importations de matières premières de 1885 à 1953, le pétrole s'ajoutant alors à cette liste. Dans quelle mesure les colonies ont-elles livré ce dont la métropole avait besoin ?

Véritable « pain de l'industrie », la houille fournit l'essentiel de la consommation énergétique des débuts de la révolution industrielle – au cours de laquelle elle se substitue au charbon de bois et, pour partie, à l'énergie hydraulique – jusqu'à la fin des années 1950, où s'amorce la relève pétrolière. Mais, et c'est là l'une des principales faiblesses économiques de la France, jamais la production nationale n'a couvert sa consommation.

Les importations de charbon sont donc vitales. Quelle part les colonies ont-elles prise à cet approvisionnement ? La réponse tient en un mot : négligeable ! Pour l'essentiel, ce sont nos voisins européens, la Grande-Bretagne, la Belgique et l'Allemagne, voire les États-Unis, qui vendent le charbon indispensable. Pis, à l'exception de l'Indochine, les territoires coloniaux sont eux-mêmes déficitaires et ils doivent importer du charbon étranger – payé en devises au plus grand dam de la balance française des paiements – pour faire face à leur consommation. Ainsi, loin de l'alléger, l'empire colonial renforce-t-il la dépendance énergétique de la France à l'égard de ses fournisseurs étrangers.

Qu'en est-il du coton, ce fleuron du mythe colonial ? En 1830, l'espoir de transformer la Régence en un immense champ de coton n'est pas absent des motivations de la conquête de l'Algérie. Et lorsque colonistes et anticolonistes s'affrontent, quelques mois après la prise d'Alger, pour savoir s'il faut garder ou abandonner ce legs encombrant de la Restauration à la monarchie de Juillet, la possibilité de produire sur place le coton que la France importe à grands frais est au cœur des débats. En 1832, après avoir succédé à de Bourmont à la tête de l'armée d'Afrique, le général Clauzel devient député. C'est donc en spécialiste de l'Algérie qu'il intervient à la Chambre. Pour convaincre les parlementaires qu'il faut étendre les territoires conquis, il fait miroiter tous les avantages que la France tirera de cette entreprise : « Tous les genres de cultures qui enrichissent nos colonies peuvent être abordés et continués avec succès à Alger. La canne, le coton, le café y prospéreront d'eux-mêmes[1]. »

En 1837, ont lieu les premières tentatives de culture du coton dans la province d'Alger. Quinze

---

1. Chambre des députés, séance du 29 avril 1834, cité par V. Demontès, *L'Algérie économique*, t. V, GGA, 1927, p. 110.

ans plus tard, la production algérienne atteint 19 tonnes. La France croit tenir son Eldorado. Les esprits s'enflamment : « L'Algérie a donc désormais ses mines d'or aussi bien que l'Australie et la Californie ; les terres à coton sont les véritables terrains aurifères de notre colonie qui, loin de s'épuiser, comme ceux de l'Amérique et de l'Océanie, verront au contraire leurs richesses augmenter et leur production s'accroître [1]. » Les pouvoirs publics, bien décidés à encourager le mouvement amorcé, décident, en 1853, de fournir gratuitement les graines nécessaires à l'extension de la culture du coton et d'acheter la totalité des récoltes à un prix fixé chaque année à l'avance. Des primes sont accordées pour favoriser l'importation d'égreneuses ou pour récompenser les meilleurs planteurs. En 1856, 93 tonnes sont récoltées. Si la médiocrité des résultats altère la confiance dans les possibilités cotonnières algériennes, la guerre de Sécession (1861-1865) balaie rapidement les doutes. Car, pour asphyxier économiquement la Confédération, les Nordistes imposent un blocus des exportations de coton, fermant la principale source d'approvisionnement de l'Europe. Les prix du coton s'envolent : plus 30 % au début de 1862, près de 100 % à la fin de l'année, et la hausse se poursuit. Les

---

1. Extrait d'un article publié en 1853 par un journal de Bône, *La Seybouse*, cité par V. Démontès, *L'Algérie économique*, p. 114, qui précise que l'article est reproduit par la presse française.

quantités disponibles s'effondrent, malgré l'appoint égyptien ; les usines tournent au ralenti et les faillites se multiplient. En Normandie, premier centre cotonnier français, un tiers de la main-d'œuvre est en chômage total ; en Alsace, les ouvriers chôment trois jours par semaine. Se procurer du coton devient une telle obsession que Napoléon III aurait même songé à envoyer une escadre à La Nouvelle-Orléans pour rompre le blocus.

Pour les planteurs algériens, ce temps de crise est un âge d'or. La hausse vertigineuse des prix et l'importance des primes versées par le gouvernement dynamisent la production locale qui est multipliée par six entre 1860 et 1866. Des projets pharaoniques sont ébauchés. Ainsi, dans la plaine de l'Habra et de la Mecta, à une cinquantaine de kilomètres à l'est d'Oran, l'État envisage de concéder 25 000 hectares à une compagnie formée par des financiers et des industriels anglais, avec mission de cultiver du coton [1]. Mais la victoire de l'Union, en mai 1865, annonce le retour prochain du coton américain et la baisse des cours. Au même moment, le gouvernement français supprime les aides publiques. Décidément trop coûteuses, les cultures algériennes et les projets grandioses sont abandonnés. Quelques tentatives nouvelles seront engagées avant et après la Grande

_____

1. *Ibid.*, p. 121.

Guerre, mais sans donner de résultats plus probants.

Comme l'esprit d'entreprise se nourrit aussi de rêve, les échecs algériens ne brisent pas l'espoir de produire du coton colonial. Mais c'est désormais à l'Afrique noire qu'on demande de lui donner corps. En 1895, le gouverneur du Soudan français, le général de Trentinian, fait de la culture du coton une priorité. En 1903, le Syndicat général de l'industrie cotonnière française fonde une Association cotonnière coloniale, dans le but d'encourager la culture du coton dans les colonies africaines. Les attentes sont immenses et le Soudan devient alors la nouvelle terre d'élection du rêve cotonial. Livres, brochures et articles se multiplient qui décrivent les perspectives offertes par cette nouvelle Terre promise, dans les mêmes termes que ceux utilisés naguère à propos de l'Algérie : « De l'avis de tous ceux qui l'ont parcouru et étudié avec soin, le Soudan français est destiné par la nature de son sol et de son climat à devenir un immense champ de culture cotonnière. "L'Afrique, dit le capitaine Lenfant, est la terre d'élection du coton." L'aire géographique du cotonnier au Soudan français est considérable. On peut même dire qu'on en trouve partout [1]. »

---

1. V. Bourdette, *Étude sur la culture du coton dans les colonies françaises*, faculté de droit de Paris, thèse de doctorat, Jouve, 1909, p. 148-149.

En 1914, à l'exception de quelques essais, fort peu concluants d'ailleurs, l'Afrique ne fournit que quelques-unes des centaines de milliers de balles transformées par les usines métropolitaines. Après la guerre, c'est de l'aménagement du delta central du Niger – au cœur du Soudan français – qu'on attend désormais la réponse à la dépendance nationale en matière de coton brut. Une mission, confiée à l'ingénieur Émile Bélime, se rend sur place en 1919-1920. Son rapport, publié en 1920, ne laisse place à aucune hésitation. Le delta du Niger réunit toutes les conditions nécessaires à la culture du coton sur une vaste échelle. « Les périodes de crues du fleuve satisfont aux besoins de l'irrigation, les sols sont comparables à ceux des régions cotonnières américaines et les cycles climatiques coïncident avec le calendrier de la culture du coton[1]. »

En avril 1929, un projet extrêmement ambitieux prévoit la régularisation du fleuve par la construction d'un barrage permettant l'irrigation de près d'un million d'hectares. Mais le désir de faire du Niger un « Nil français[2] », et du Soudan une nouvelle Égypte, s'effrite progressivement devant les

---

1. E. Schreyger, *L'Office du Niger au Mali*, Steiner, 1983, p. 22.

2. Pour le maréchal Franchet d'Espérey, le Niger serait « en tout point comparable au Nil ». Propos rapporté par *Le Nord-Africain*, n° 83, mai-juin 1939.

difficultés de toute nature qui contraignent à réviser à la baisse les ambitions. En 1939, 1 % à peine des terres sont irriguées ; en 1960, après l'achèvement du barrage de Sansanding, le programme de 1929 est réalisé à hauteur de 5 % seulement... Bien piètre résultat qui a quand même englouti, de 1946 à 1961, environ 22 milliards de francs CFA [1], de fonds publics d'origine métropolitaine, selon les estimations de René Dumont [2], non comprises les dépenses pour la construction des routes et des bâtiments, pour l'entretien du barrage de Sansanding, ni celles exigées pour l'entretien des installations hydrauliques.

Le problème de l'alimentation en laine et en soie grège se pose dans des termes assez semblables à ceux du coton. Entre 1852 et 1953, le nombre de moutons en métropole est divisé par quatre. De moins en moins productrice d'une matière première qu'elle consomme en grande quantité, la France recourt donc massivement aux importations pour approvisionner ses manufactures. Même chose pour la soierie. À partir de 1849, la pébrine, la maladie des vers à soie, fait des ravages. La production s'effondre, d'autant que l'accroissement

1. Le franc CFA, « franc des colonies françaises d'Afrique », a été créé le 26 décembre 1945 ; sa valeur était alors de 1 franc CFA pour 1,70 franc français.
2. R. Dumont, *L'Afrique noire est mal partie*, Le Seuil, 1962, p. 38.

des importations en provenance de l'Extrême-Orient tire les prix à la baisse et ne permet plus d'offrir aux producteurs les cours rémunérateurs d'autrefois. Lainiers et soyeux sont eux aussi tributaires des importations étrangères : d'Argentine ou de Nouvelle-Zélande pour les premiers, du Japon ou de Chine pour les seconds. Quel secours les colonies, en particulier d'Afrique du Nord, offrent-elles à ces secteurs d'activité ? À nouveau, l'historien ne peut répondre qu'en proposant une chronique des espoirs déçus. Plus qu'un long développement, le tableau suivant montre le poids insignifiant de l'empire colonial pour les importations de fibres textiles.

Part de l'empire colonial (en %)
dans les importations françaises de fibres textiles [1]

	1890	1913	1929	1938	1949	1958
coton	0,0	0,1	2,2	3,6	8,2	18,0
laine	3,8	3,2	2,7	5,4	0,7	0,8
soie et bourres de soies	0,4	0,2	3,0	1,6	0,0	0,0

Au total, si l'on considère les matières premières dont l'importation était jugée primordiale au bon fonctionnement de son économie – charbon puis pétrole, coton, laine et soie –, on constate qu'à

---

1. Tiré de J. Marseille, *Empire colonial et capitalisme français*, Albin Michel, 2000, p. 55.

aucun moment la France n'a pu s'appuyer sur son empire colonial. Seules les livraisons de phosphates, de bois et de caoutchouc ont fini par devenir importantes, mais à quel prix... Si l'essor économique de la France s'était vraiment nourri du « pillage » colonial, comme l'affirment les Repentants, alors elle ne serait qu'un pays sous-industrialisé !

Si l'on détaille le contenu des achats de la France à ses colonies, on constate qu'ils concernent essentiellement des produits agricoles : arachide, cacao, café, riz, sucre de canne et vins. Pour ces importations, la part de l'empire passe de 18,7 % en 1890, à 37,5 % en 1929 et à 71,1 % en 1958. Si, à cette liste, on ajoute trois autres produits, le caoutchouc, les phosphates et les bois, on aura le gros des fournitures coloniales à la France.

Quel est l'intérêt d'acheter aux colonies ? Cette question doit être examinée sous trois angles : leurs produits sont-ils rares ? La domination coloniale offre-t-elle une sécurité des approvisionnements, notamment lors de périodes troublées ? Les fournisseurs coloniaux sont-ils meilleur marché que leurs concurrents étrangers ? À chacune de ces questions, l'historien répond non ! Aucun des produits que l'empire exporte en France ne présente un caractère de rareté. La France, si elle le souhaite, peut se procurer sans difficulté du café du Brésil ou de la Gold Coast (Ghana actuel), du sucre du

Brésil ou de Cuba, du cacao de la Gold Coast, du caoutchouc de Malaisie, des arachides d'Inde britannique, des phosphates américains, etc. Autant de partenaires commerciaux qui peuvent donc, sans difficulté et à n'importe quel moment, se substituer à l'empire. En outre, la plupart du temps, ces achats se feraient à meilleur compte.

En septembre 1961, alors que l'indépendance prochaine de l'Algérie ne fait plus aucun doute, le ministère des Finances évalue les conséquences économiques et financières de cette sécession. Le résultat de cette étude[1], loin d'être inquiétant, conclut au contraire que le lien colonial « a pour conséquence de faire payer par la France la plupart des exportations algériennes à des prix de soutien sensiblement supérieurs aux cours internationaux » : très précisément, la France paie les produits algériens 68 % plus cher que ce qu'elle débourserait si elle se fournissait en Italie ou en Espagne. En réalité, si l'Algérie vend la quasi-totalité de ses productions agricoles en métropole, c'est tout simplement parce que la cherté de ses produits lui ferme les marchés étrangers, comme le déplore, en 1953, la Confédération générale du patronat algérien : « Les productions nord-africaines

---

1. FNSP, Archives Michel Debré, 2 DE 87 Dossier des négociations, 3ᵉ phase. Note [du ministre des Finances] sur les conséquences économiques et financières d'une sécession de l'Algérie. Sans date, mais le billet d'envoi est daté du 9 septembre 1961.

d'agrumes, de primeurs, de fruits, de dattes, de figues, de plus en plus, ont besoin du marché national pour assurer leur écoulement et d'un marché national protégé parce que nos prix ne peuvent pas soutenir la concurrence des autres pays méditerranéens producteurs [1]. »

Ce qui est vrai pour l'Algérie l'est, à des degrés divers, de toutes les productions de l'empire : les bananes coloniales sont payées 20 % au-dessus des cours mondiaux ; les oléagineux d'Afrique française sont achetés 8 120 francs le quintal, soit un surprix de 32 % ; l'huile de palme, achetée 104-105 francs le kg au Dahomey ou au Cameroun, coûte 86 francs à Anvers. Si les phosphates d'Afrique du Nord sont concurrentiels, c'est parce qu'ils reçoivent une subvention pour le transport et la manutention d'un montant « d'environ 2 milliards 400 millions, en 1954, alors que la valeur de produit est de 6 milliards [2] », soit une ristourne équivalant à 40 % du prix du produit.

Le caoutchouc offre un autre exemple des rapports économiques paradoxaux que la France entretient avec ses colonies. En 1947, au début de la guerre d'Indochine, le ministre de la France

---

1. Archives privées René Esclapez, CGPA, Conseil central confédéral, Rapport de synthèse, 1953, tirage provisoire, p. 9.

2. Rapport du sénateur Armengaud sur les « Incidences des charges fiscales et parafiscales dans les prix de revient comparés de la France », *Revue du comité national des conseillers du commerce extérieur de la France*, octobre 1955.

d'outre-mer, Marius Moutet, estime que « la conservation des plantations d'hévéas d'Indochine est primordiale » pour l'économie française. Autrement dit, la prospérité du manufacturier de pneumatique de Clermont-Ferrand dépendrait de l'issue de la guerre menée contre le Viêt-minh. Or c'est parfaitement inexact ! D'une part, la production indochinoise représente seulement 2,2 % de la production mondiale. D'autre part, le marché se caractérise par une offre pléthorique, supérieure à la demande, tandis que la fabrication de caoutchouc synthétique progresse. Du coup, les cours sont à la baisse, le caoutchouc vaut trois fois moins cher en 1949 qu'en 1939. Lourd handicap pour le caoutchouc indochinois. Si la France absorbe la totalité de la récolte indochinoise, ce n'est pas parce que le caoutchouc manque et qu'elle ne pourrait pas s'en procurer ailleurs, ni parce qu'elle le paierait moins cher. Bien au contraire, les manufacturiers français aimeraient pouvoir en acheter, à Singapour, à 120,30 francs le kilogramme. Mais le ministère des Finances, refusant les autorisations d'achat hors de la zone franc « tant que les industriels n'ont pas acquis une proportion suffisante de caoutchouc indochinois », les contraint donc à se fournir dans les colonies, au prix de 136,37 francs, soit un surprix de 13,36 % [1].

---

1. Chiffres et citations in H. Tertrais, *La Piastre et le Fusil, Le coût de la guerre d'Indochine, 1945-1954*, CHEFF, Imprimerie nationale, 2002, p. 368, 370 et 371.

Ainsi, pour que l'empire colonial puisse accéder au podium des meilleurs fournisseurs de la métropole, il a fallu transgresser les règles de la compétition internationale en dopant ses exportations à coup de primes ou en imposant à ses concurrents le handicap de droits de douanes très lourds. Le seul intérêt que propose le fournisseur colonial réside donc dans la possibilité pour l'acheteur « France » de régler ses dépenses en francs et d'épargner ainsi ses réserves en devises.

Tout de même, les colonies, parce qu'elles sont possessions françaises, assurent une sécurité qu'on ne peut attendre d'un pays étranger, notamment en temps de guerre. De fait, en 1914, militaires et hommes politiques sont intarissables sur la supériorité de la « plus grande France » par rapport à l'Allemagne. Grâce à ses colonies et contrairement à sa rivale, la France dispose de ressources inépuisables. Pendant les hostilités, on requiert des peuples colonisés qu'ils livrent à l'armée ce qu'elle exige, au prix d'un effort considérable de production et d'adaptation des cultures, souvent au détriment des cultures vivrières. À l'Afrique du Nord, on demande du blé, du vin, des moutons, à l'Afrique noire surtout des oléagineux mais aussi du cacao, du café ainsi que des bois. De Madagascar, on attend du riz, du manioc, de la viande, ainsi que du ricin, dont l'huile est nécessaire à cette nouvelle arme, l'aviation. De l'Indochine, du riz également, mais aussi du caoutchouc. Comment ne pas être reconnaissant ? En 1918, une affiche placardée sur les murs de France invite les Français à mesurer « ce que nous devons à nos colonies ». Elle évoque « en quelles prodigieuses quantités nos possessions d'Afrique, d'Asie, d'Amérique, d'Océanie nous ont envoyé leurs productions », avant de conclure : « sans elles, notre ravitaillement eût été beaucoup plus difficile ».

Ce n'est pas mépriser les souffrances que les peuples colonisés ont endurées, pour un combat qui n'était pas le leur, que de tenter d'en mesurer l'efficience pour l'effort français de guerre. Pour cela, deux comparaisons s'imposent : première-ment, que pèsent les livraisons coloniales par rap-port au total des importations françaises ? Deuxièmement, dans quelle mesure ont-elles aug-menté par rapport à la période d'avant-guerre ?

On estime à environ 6 millions de tonnes de marchandises diverses[1] les expéditions coloniales en métropole, au cours de la guerre. On voit que « les prodigieuses quantités » vantées par l'affiche comptent pour peu de chose face aux 170 millions de tonnes débarquées de l'étranger ; on se doute que le ravitaillement du front ou de l'arrière n'au-rait guère pâti de leur absence. Sur ce plan, la

1. H. Hazaël-Massieux et E. Heyraud, *1914-1918, L'Em-pire dans la guerre*, ministère de la Défense, secrétariat d'État aux Anciens Combattants, 1998, p. 15.

contribution des Alliés – et celle des Neutres – a été autrement plus décisive que l'appoint des colonies. Plus étonnant, loin d'avoir augmenté pendant le conflit, les importations en provenance des colonies sont en recul par rapport à l'avant-guerre : leur valeur, égale à 10,95 % des importations françaises entre 1909 et 1913, n'en représente plus que 3,5 % entre 1914 et 1918.

L'explication de ce paradoxe ? Le manque de bateaux, pour partie réquisitionnés pour le transport et le ravitaillement des troupes, pour partie coulés ou endommagés par la marine allemande. « Partout le commerce colonial se rétrécit. Par exemple, les gros chiffres du port de Dakar dissimulent le fait que le commerce y fut principalement une activité de transit[1]. » Dans les ports algériens, le nombre de navires qui chargent est divisé par deux entre 1913 et 1918[2].

« Lorsqu'on examine soigneusement les péans que les compétences coloniales entonnèrent sur le moment ou après coup, à la gloire de l'empire-venant-au-secours-de-la-mère-patrie-attaquée, on s'aperçoit qu'ils insistèrent surtout sur les contributions pour mieux faire ressortir ce qu'elles auraient

---

1. G. Meynier, « La France coloniale de 1914 à 1931 », in J. Thobie *et alii*, *Histoire de la France coloniale*, Armand Colin, 1990, p. 75.

2. R. Dobrenn, *L'Apport économique de l'Algérie pendant la guerre*, thèse de la faculté de droit de Paris, Oran, 1925, p. 112-113.

pu être si le champ colonial avait été moins en friche ; preuve que l'apport colonial ne dut pas être aussi essentiel que ce fut proclamé[1]. » La littérature coloniale qui, dès la fin de la guerre, exalte l'apport décisif de l'empire à la victoire ne traduit donc pas une réalité – contrairement à ce que croient les Repentants que l'on trouve, en cette occasion, bien accommodants avec cette propagande, eux si prompts au dénigrement par ailleurs.

---

1. G. Meynier, « La France coloniale de 1914 à 1931 », in J. Thobie *et alii*, p. 76.

7

Le tonneau des Danaïdes

Si l'offre coloniale se révèle décevante, voire encombrante, comment contester que l'empire reste, pour l'industrie française, un client indispensable ? Revenons à Jules Ferry : « L'Europe peut être considérée comme une maison de commerce qui voit depuis un certain nombre d'années décroître son chiffre d'affaires. La consommation européenne est saturée ; il faut faire surgir des autres parties du globe de nouvelles couches de consommateurs, sous peine de mettre la société moderne en faillite[1]. » Point de vue à nouveau largement partagé par Lénine, qui insiste sur les rigidités des marchés intérieurs des pays industrialisés, le système capitaliste étant, selon lui, dans l'impossibilité « d'élever le niveau des masses populaires qui, en dépit d'un progrès technique vertigineux,

---

1. Cité par H. Brunschwig, *Mythes et réalités de l'impérialisme colonial français, 1871-1914*, Armand Colin, 1960, p. 81.

demeurent partout grevées par la sous-alimentation et l'indigence[1] ». Méfiance ! Nos deux théoriciens ne sont jamais aussi d'accord que quand ils se trompent l'un et l'autre...

Les statistiques confirment les prévisions de Jules Ferry et l'on ne peut être qu'impressionné par le dynamisme et par la vitalité du débouché colonial, dont la part dans les exportations françaises passe, entre 1913 et 1953, de 13,73 % à 37 %. Une véritable aubaine pour les entreprises françaises.

Le débouché colonial remplit, en premier lieu, une fonction régulatrice « face aux vicissitudes des marchés extérieurs. De 1880 à 1958, les exportations vers l'empire en francs 1914 constants se sont accrues au rythme moyen de 3,8 % alors que les ventes à destination de l'étranger ne s'accroissaient que de 1 % par an[2] ». Ainsi, pendant la crise des années 1930, la stabilité des exportations vers les colonies compense-t-elle en partie la fermeture des marchés étrangers. Le ministre des Colonies du Front populaire, Marius Moutet, y puise « une raison nouvelle d'optimisme [...]. Si les conditions internationales du commerce se sont profondément modifiées, si elles ont obligé les nations à se

---

1. Lénine, *L'Impérialisme, stade suprême du capitalisme*, p. 200.
2. J. Marseille, *Empire colonial et capitalisme français*, p. 42.

replier sur elles-mêmes, la nôtre est assez vaste, qui s'étend jusqu'aux confins du monde pour penser que dans ce repliement il n'y aura pour elle aucune diminution[1] ».

Certaines branches d'activité ne trouvent qu'aux colonies, et parfois très tôt, un marché extérieur important pour leurs productions.

Part de l'empire en % des exportations françaises[2]

	1890	1913	1938	1958
Huile d'arachide	---	7,9	89,6	95,0
Sucres raffinés	12,7	67,6	98,5	85,5
Tissus de coton	34,8	33,1	84,6	83,6
Vêtements et lingerie	13,7	11,2	34,5	78,8
Savons	56,2	65,1	44,3	92,2
Ciment	---	35,9	84,1	69,1
Outils et ouvrages en métaux	13,3	41,4	47,0	56,4

En outre, les colonies achètent les marchandises françaises plus cher que l'étranger : ainsi, en 1956, la balance nette des échanges entre la métropole et ses colonies dégagerait un solde positif de 273 millions de francs[3].

---

1. Marius Moutet, discours à Gap du 23 août 1936, cité par R. Bouvier, *Le Commerce franco-colonial*, 1936, p. 5-6.
2. D'après J. Marseille, *Empire colonial et capitalisme français*, p. 54.
3. P. Moussa, *Les Chances économiques de la Communauté franco-africaine*, Armand Colin, 1957, p. 56.

Quelques observations nous conduisent cependant à tempérer cet optimisme.

Une première remarque porte sur le contenu des achats effectués outre-mer et, tout particulièrement, sur la place occupée par les vins. Des années 1930 et jusqu'à l'indépendance, ils représentent 50 % de la valeur des exportations totales de l'Algérie vers la métropole. En ajoutant les quelques centaines de milliers d'hectolitres venus de Tunisie et du Maroc, ce sont une quinzaine de millions d'hectolitres de vins d'Afrique du Nord qui, chaque année, s'écoulent en France, faute de clients étrangers. Au milieu des années 1950, le coût de cette importation pèse à lui seul un cinquième de la valeur totale des produits en provenance de l'outre-mer ! Cette réalité, qui dément largement les discours vantant la complémentarité économique entre la France et ses colonies, donne un singulier relief aux propos prémonitoires du député de Bastia, Agenor de Gasparin, qui, en 1835, avertissait que le Midi trouverait en Algérie une concurrence, non un marché[1].

La France avait-elle un besoin si pressant de vin et en de telles quantités ?

D'une année sur l'autre, la consommation française s'établit autour de 40 millions d'hectolitres et la production nationale entre 50 et 60 millions. Autrement dit – à l'exception de la très mauvaise

---

1. Cité par P. Guiral, *Marseille et l'Algérie*, p. 104.

année 1957 –, la France produit chaque année un excédent de 10 à 20 millions d'hectolitres, en partie vendu, pour les vins de qualité, sur les marchés étrangers. La quinzaine de millions d'hectolitres venue d'Afrique du Nord, invendable à l'étranger, vient donc encombrer un marché déjà saturé. Si un tiers est utilisé comme vin de coupage, que l'Italie et l'Espagne sont prêtes à fournir à meilleur compte, le surplus est inutilisable[1]. Il ne reste plus qu'à le distiller, au frais du contribuable métropolitain, le coût de cette opération étant supérieur au prix de vente de l'alcool industriel. Cela seul annule, et bien au-delà, tous les avantages économiques que l'outre-mer semblait offrir.

Mais il y a plus grave, en tout cas plus dispendieux.

Au début de la IIIe République, l'économiste Paul Leroy-Beaulieu, récemment rallié aux vertus de l'expansion coloniale, affirmait : « dans l'état actuel du monde, la fondation des colonies est la meilleure affaire dans laquelle on puisse engager les capitaux d'un vieil et riche pays[2] ». Depuis, une littérature foisonnante s'est écrite pour savoir si l'empire colonial a été ou non rentable. Pour tenter d'y voir plus clair dans ce débat parfois confus, il

1. « La balance des comptes de l'Algérie », Centre d'études de politique étrangère, 1955.

2. P. Leroy-Beaulieu, *De la colonisation chez les peuples modernes*, 2e éd., Guillaumin, 1882, p. 565.

paraît indispensable de distinguer au préalable, dans la mesure du possible, trois types d'investissements : les investissements publics, qui sont supportés par les contribuables métropolitains, ceux des entreprises qui s'implantent outre-mer, ceux, enfin, des épargnants – gros ou petits – qui confient leurs économies aux valeurs coloniales.

Les caisses de l'État se sont-elles remplies grâce à l'exploitation des colonies ? C'est ce qu'affirme, sans l'ombre d'une hésitation, une historienne africaniste de renom. Faut-il être troublé par des considérations idéologiques ou par un amour irraisonné de l'Afrique pour prétendre qu'après l'Indochine à la fin du XIXe siècle, le Maghreb dans l'entre-deux guerres « allait à son tour remplir les caisses de l'État, et surtout des colons et des industriels intéressés, grâce aux vins et au blé d'Algérie, et, surtout aux phosphates du Maroc » ? Faut-il être devenu aveugle à toute réalité pour poursuivre en affirmant qu'à partir des années 1950, « l'Afrique noire à son tour allait soutenir l'économie française [1] » ? Loin de remplir les caisses de l'État, les colonies se sont révélées un véritable tonneau des Danaïdes.

1. C. Coquery-Vidrovitch, « Le mythe économique colonial », in P. Blanchard et S. Lemaire, *Culture coloniale*, Autrement, 2004, p. 169.

De 1900 à 1962, le solde commercial des colonies avec la métropole n'a été excédentaire qu'une année sur trois, notamment lors des deux guerres mondiales. Avec l'étranger, une seule fois, en 1926. Au total, les déficits commerciaux cumulés s'élèvent à 44 milliards de francs-or, soit trois fois le montant total des aides accordées à la France par les États-Unis entre 1945 et 1955 [1] ! Comment ce trou a-t-il été comblé ? Aucun pays, livré à lui-même, n'aurait pu vivre aussi longtemps sur un tel pied. Les deux tiers du temps, les colonies vivent à découvert, parce qu'un tuteur généreux, l'État français, assure leurs fins de mois. Pour l'essentiel, en effet, c'est à coup de subventions et de prêts accordés par le Trésor public que les colonies bouclent leur budget, comme le découvrent les hauts fonctionnaires du ministère des Finances, lorsque, aux débuts des années 1950, ils entreprennent pour la première fois, d'établir les comptes de la nation. Leur conclusion est sans appel. Selon l'un d'entre eux, François Bloch-Lainé, ancien directeur du Trésor, « le système du pacte colonial si critiqué depuis la guerre, s'est presque renversé au bénéfice des pays d'outre-mer. Désormais, ceux-ci importent beaucoup plus en provenance de la métropole qu'ils n'exportent vers elle. La différence

1. J. Marseille, « La balance des paiements de l'outre-mer sur un siècle, problèmes méthodologiques », in *La France et l'outre-mer, Un siècle de relations monétaires et financières*, CHEFF, Imprimerie nationale, 1998, p. 7.

entre leurs importations et leurs exportations est compensée par des transferts de capitaux, pour la plupart publics, qui sont effectués dans le sens métropole-outre-mer. Ces transferts sont principalement destinés à contribuer aux dépenses d'investissements des territoires. Tout se passe comme si la France fournissait les francs métropolitains qui permettent à ses correspondants d'avoir une balance profondément déséquilibrée : ainsi s'opère, aux frais de la métropole, le développement économique de tous les pays d'outre-mer, sans exception [1] ».

La même année, établissant précisément « les comptes et les charges de la tutelle » que la France exerce sur l'Algérie, le sénateur du Vaucluse, Marcel Pellenc, rapporteur de la commission des Finances de la Haute Assemblée, relève à son tour que le premier client de la métropole est un consommateur bien singulier puisque, « pour un tiers, il ne paie ses achats qu'avec les fonds que le vendeur lui donne [2] ».

Alors qu'elle est confrontée aux défis de la reconstruction d'après-guerre, tandis que des besoins essentiels de la population métropolitaine, comme le logement, restent sans solution, la

---

1. F. Bloch-Lainé, *La Zone franc*, PUF, 1956, p. 44.

2. M. Pellenc, Note d'information budgétaire, financière et économique, 10 février 1956, Service historique de l'armée de terre, 1 H 2689/3.

France consacre une part importante de ses ressources à l'accroissement de la consommation et à l'équipement de ses colonies. Cet effort laisse rêveur quand on sait qu'aujourd'hui les pays développés sont très loin de consacrer 0,7 % de leur revenu national brut aux pays en voie de développement comme ils s'y étaient engagés en 1970 à l'ONU.

Part du PNB français consacrée à l'aide au développement [1]

1957	1958	1959	1960	1961	1962
2,10	2,17	2,33	2,15	2,16	1,96

Au début des années 1950, le miracle économique hollandais qui suit l'indépendance de l'Indonésie fournit la preuve, *a contrario*, que la domination coloniale est bien un boulet traîné par les métropoles. Le 1er novembre 1955, une revue des milieux d'affaires français, *L'Entreprise*, publie un article sous le titre « Une économie prospère sans colonie : les Pays-Bas ». L'auteur, anonyme, s'interroge : « En définitive, la perte de l'Indonésie n'a-t-elle pas été un facteur favorable à l'expansion ? »

Comment, en effet, ne pas être troublé par cet apparent paradoxe ? Non seulement la fin de l'empire colonial ne s'accompagne pas de l'effondrement des exportations néerlandaises, mais celles-ci,

---

1. H. d'Almeida-Topor, *L'Afrique au XXe siècle*, Armand Colin, 1993, p. 219.

au contraire, connaissent une croissance vigoureuse, notamment dans les secteurs des produits chimiques, du matériel électrique, des productions mécaniques, etc. Parallèlement, et malgré une forte poussée démographique, le niveau de vie des Hollandais progresse sensiblement, le PIB par habitant augmentant de 22,20 % entre 1950 et 1955. Selon l'auteur de l'article, une fois privés de colonies, « les Néerlandais ont été contraints de chercher ailleurs le moyen d'assurer l'équilibre de leur commerce extérieur. Ils sont présents partout : sur les marchés africains, en Amérique. Leur concurrence est redoutable en Europe même. Depuis le 27 décembre 1949, date qui marque officiellement la fin des Indes néerlandaises et la naissance de l'Indonésie, l'industrialisation est devenue une question de vie ou de mort. Or, les capitaux nécessaires à l'industrialisation purent être réunis justement parce que le gouvernement n'avait plus le souci d'améliorer l'économie indonésienne et parce que les capitalistes néerlandais n'avaient plus, eux, la tentation d'investir à Java ».

En pleine guerre d'Algérie, Raymond Cartier popularise les thèses de ce « complexe hollandais » auprès des huit millions de lecteurs de *Paris-Match*, dans une série d'articles aux relents parfois racistes, publiée à la fin de l'été 1956. La Hollande serait-elle dans la même situation, s'interroge l'auteur,

« si, au lieu d'assécher son Zuyderzee et de moderniser ses usines, elle avait dû construire des chemins de fer à Java, couvrir Sumatra de barrages, subventionner les clous de girofle des Moluques et payer des allocations familiales aux polygames de Bornéo » ? En réalité, ce détour par les Pays-Bas sert de justification à une autre interrogation, tant « il est impossible de ne pas se demander s'il n'eût pas mieux valu construire à Nevers l'hôpital de Lomé, à Tarbes le lycée de Bobo-Dioulasso et si l'asphalte de la route réalisée par l'entreprise Razel au Cameroun ne serait pas plus judicieusement employé sur quelque chemin départemental à grande communication »[1].

Comment ne pas voir, dans l'exemple hollandais, la confirmation de cette prémonition de Laveleye qui, dès la fin du XIXe siècle, regrettait le nombre d'universités, de collèges, d'écoles, d'académies et de laboratoires que le budget colonial aurait permis de doter...

La rentabilité de l'investissement colonial est-elle d'ailleurs aussi fabuleuse que des données partielles le laissent entendre ? Il est toujours commode, maniant la litote, d'assurer être en mesure « de multiplier les exemples de profits immenses[2] » réalisés par les sociétés coloniales,

---

1. N. Ruz, « La force du "cartiérisme" », in J.-P. Rioux, *La Guerre d'Algérie et les Français*, Fayard, 1990, p. 328-336.

2. Cl. Liauzu, *Colonisation : droit d'inventaire*, Armand Colin, 2004, p. 97.

tout en n'en donnant que deux exemples, la société tunisienne Sfax-Gafsa et les Charbonnages du Tonkin, et à une seule date, 1913, retenue on ne sait selon quel critère ! Un tel procédé autorise toutes les manipulations[1] et l'on voit bien l'effet recherché sur le lecteur lorsqu'on avance des profits de 68 % ou de 84,6 %, sans indiquer sur quelle base de tels taux reposent. On pourrait, en citant telle ou telle société métropolitaine, présenter une rentabilité tout aussi impressionnante. Ainsi, entre 1931 et 1938, en pleine dépression économique mondiale, la société Saint-Raphaël offre-t-elle à ses actionnaires une rentabilité annuelle égale, en moyenne, à 115 % de la valeur de ses fonds propres ; pour Pernod, c'est 54 %. Doit-on en conclure que toutes les entreprises françaises ont fait preuve, au cours de ces années de crise, d'une santé financière aussi insolente ?

---

1. Il en va ainsi de la traite négrière généralement présentée comme un « commerce extrêmement lucratif » (G. Manceron, *Marianne et les colonies*, p. 30). Qu'importe les résultats de plus de trente ans de recherches historiques, érudites, patientes, qui établissent que la rentabilité de la traite n'a guère été mirifique : le profit de la traite nantaise au XVIIIe siècle a été estimé à 10,5 % par an, celui de la traite britannique entre 6,5 % et 10,5 %, celui de la traite néerlandaise à 2,5 % seulement (S. Daget, *La Traite des Noirs*, Rennes, Ouest-France, 1990, p. 167). Ce qui compte, c'est de frapper les esprits en présentant comme une norme quelques résultats extraordinaires et exceptionnels. Nous sommes bien là devant une forme pernicieuse de désinformation.

Présenter l'empire comme une véritable poule aux œufs d'or constitue le point de départ d'un raisonnement qui attribue aux grands groupes financiers un rôle décisif dans la conquête coloniale. Ainsi Claude Liauzu assure-t-il que le groupe Paribas « a organisé la conquête du Maroc[1] », ignorant, au passage, les mises en garde du meilleur spécialiste français du Maroc, Daniel Rivet, pour qui « le tort du courant d'exégèse historique confondant anticolonialisme et anticapitalisme, ce fut de lire au premier degré ce discours de propagande », véritable « littérature de circonstance » qui s'édifie, à la fin du XIXe siècle, « pour vanter l'importance stratégique du Maroc, ses minerais fabuleux, son agriculture surabondante »[2].

Certes, toute une série de sociétés coloniales sont, avant la Première Guerre mondiale, de bonnes affaires pour leurs actionnaires : Compagnie des mines d'Ouasta, Compagnie des Phosphates de Gafsa, société Le Nickel, Charbonnages du Tonkin, Banque de l'Indochine, CFAO, Distilleries de l'Indochine, etc., toutes distribuent de confortables dividendes. Comment ignorer, cependant, la forte mortalité de ces sociétés puisque sur les 469 recensées par Jacques Marseille, « 182, soit 38 %, ont disparu précocement, le déchet étant

1. Cl. Liauzu, *Colonisation : droit d'inventaire*, p. 97.
2. D. Rivet, *Lyautey et l'institution du protectorat français au Maroc, 1912-1925*, t. I, L'Harmattan, 1996, p. 44.

particulièrement élevé pour les sociétés minières, 53 %, et pour les plantations et les sociétés agricoles, 46 %[1] ». La rentabilité de quelques-unes ne doit pas être généralisée à toutes, et, à côté de succès brillants, combien d'échecs, de désillusions, voire d'escroqueries ont refroidi l'ardeur coloniale des épargnants métropolitains et fait s'envoler leurs économies ? Les emprunts émis par les territoires coloniaux n'ont guère mieux souri à ceux qui leur avaient confié une partie de leurs économies. Loin d'être un Eldorado, le placement colonial conduit souvent aux mêmes infortunes que celui du Panama ou du tunnel sous la Manche. Du fait de l'inflation, les Français qui ont souscrit aux emprunts marocains perdent 95 % de leur capital entre 1934 et 1956[2].

L'intérêt des « grands groupes financiers » pour l'outre-mer doit par ailleurs être sérieusement pondéré. À l'issue d'un dépouillement exhaustif des rapports des conseils d'administration du Crédit lyonnais, de la Société générale, de la Banque de Paris et des Pays-Bas (Paribas) et de la Banque de l'Union parisienne, un historien tunisien, Ridha Shili, ne trouve, au moins jusqu'aux années 1940, que de rares mentions des participations ou des

---

1. J. Marseille, *Empire colonial et capitalisme français*, p. 124.

2. G. Hatton, *Économie et finances du Maroc, de 1936 à 1956*, thèse de doctorat en histoire, université Paris I, 2005, p. 344.

intérêts que ces établissements possèdent dans les entreprises coloniales. N'est-ce pas là le signe du rang secondaire que ces placements occupent dans le portefeuille de ces groupes ? Cette présence ne résulte d'ailleurs pas toujours de calculs économiques, mais d'une contrainte politique, comme l'illustre, parmi d'autres, l'exemple de la Société bônoise de sidérurgie, que rejettent les sidérurgistes français, mais dont la réalisation leur est imposée par l'État.

Inversement, « beaucoup de rapports des conseils d'administration des entreprises coloniales font état des ressources financières qui leur sont fournies par des banquiers et des institutions financières métropolitaines[1] ». Certes, mais cela ne prouve en rien que les sociétés coloniales tiennent une place importante dans les préoccupations du « grand capital ».

Une autre interrogation sur l'utilité économique des colonies naît du rapprochement entre les performances réalisées par les entreprises françaises au cours des années 1928 à 1938, d'une part, et des années 1946 à 1977, d'autre part. Cette comparaison montre que le débouché colonial, indispensable à la plupart, pendant la première période, se transforme, au cours de la seconde, en radeau de

---

1. R. Shili, *Milieux d'affaires et activité minière coloniale, le cas des entreprises de quelques mines du Centre-Ouest tunisien, 1900-1956*, thèse de doctorat en histoire, université de Reims, 1996, t. I, p. 232.

survie pour les sociétés des branches déclinantes. Pendant la dépression des années 1930, le marché impérial sert de repli à toutes les entreprises qui le peuvent : ainsi les ventes de fers et aciers, qui reculent de 818 millions de francs sur les marchés étrangers, gagnent-elles 150 millions de francs dans les colonies.

Mais, au cours des Trente Glorieuses, ce compagnon des mauvais jours de l'économie française se transforme en béquille des secteurs malades du capitalisme français. Parmi les trente sociétés qui connaissent la plus forte croissance de leur bilan, entre 1945 et 1979, on ne compte aucune société coloniale, et dans le classement des trente plus rentables, une seule, la compagnie de l'Ogoué, qui figure au 26e rang[1]. En revanche, les secteurs dynamiques, sans renoncer au marché colonial, font désormais porter leurs efforts en direction des pays industrialisés : de 1952 à 1961, les exportations à destination de l'Europe passent de 38,8 % à 56,1 % des exportations totales de la France[2]. Décidément, Jean-Baptiste Say voyait juste : « les vraies colonies d'un peuple commerçant, ce sont

---

1. G. Dumont, « Les entreprises au temps de la croissance », in J. Marseille (dir.), *Les Performances des entreprises françaises*, Le Monde Éditions, 2003, p. 114-115.

2. J. Marseille, « Empire colonial ou Europe, L'enjeu des années 1950 », *Le Commerce extérieur français de Méline à nos jours*, ADHE-CHEFF, 1993, p. 88.

les peuples indépendants de toutes les parties du monde ».

Évolution des exportations françaises entre 1952 et 1961, indice 100 en 1952

	1952 Étranger	1961 Étranger	1952 Zone franc	1961 Zone franc
Automobiles	100	380	100	91
Constructions électriques	100	515	100	98
Métaux	100	229	100	97
Ouvrages en métaux	100	123	100	68
Machines	100	199	100	78
Textiles	100	181	100	98

Au même moment, le marché intérieur est en plein essor. De l'indice 100 en 1952, la consommation intérieure atteint l'indice 172 en 1959, et même 185 pour l'indice de la consommation non alimentaire. Alors que les ventes vers la zone franc, pourtant considérablement stimulées par les dépenses civiles et militaires liées à la guerre d'Algérie, augmentent seulement de 47 % entre ces deux dates, la consommation intérieure bondit de 72 %. En 1953, au plus haut des ventes à l'empire, celles-ci équivalent à moins de 5 % de la consommation intérieure métropolitaine (consommation des ménages et des administrations). Autrement dit, le premier soutien à la croissance française, c'est le marché intérieur. D'ailleurs, preuve

« contre-factuelle » du caractère désormais globalement marginal des débouchés coloniaux, le recul des positions françaises sur leurs anciens marchés protégés, au lendemain des décolonisations, ne s'est accompagné d'aucun essoufflement du rythme de la croissance bien au contraire. En queue de peloton des pays de l'OCDE pour son rythme de croissance jusqu'en 1962, la France rejoint le trio de tête après cette date qui correspond, faut-il le rappeler, à l'indépendance de l'Algérie.

Ainsi, comme le pensait Paul Bairoch, le grand économiste et historien de l'économie[1], il n'est pas exclu que l'entreprise coloniale ait nui au développement économique de la France, plus qu'il ne l'aurait favorisé – cent ans plus tôt, l'économiste belge Gustave de Molinari ne disait pas autre chose : « De toutes les entreprises de l'État, la colonisation est celle qui coûte le plus cher et qui rapporte le moins[2]. »

1. P. Bairoch, *Mythes et paradoxes de l'histoire économique*, La Découverte, 1995, p. 111.

2. Cité par Ch.-R. Ageron, dans son remarquable *Anticolonialisme en France de 1871 à 1914*, PUF, 1973, p. 9.

8

Le puits de la chance ?

Cette fois-ci, « on a trouvé quelque chose d'énorme ». C'est par ces mots qu'Armand Colot, le directeur général de la compagnie publique française de pétrole SN-Repal, annonce la nouvelle à son président, Roger Gœtze, un soir de juin 1956. Ce « quelque chose d'énorme », ce sont les immenses ressources en pétrole qui viennent d'être découvertes au cœur d'un Sahara encore français, à Hassi Messaoud, le bien nommé « puits de la chance » ou « puits du bonheur ».

Enfin, la France produit sur son sol une quantité significative de pétrole ! Désormais, elle semble en mesure de desserrer sa dépendance énergétique, dont la crise de Suez vient de montrer toute la gravité. La Bourse de Paris salue l'annonce : la cote des valeurs pétrolières s'envole.

Mais la flambée est de courte durée : dès août 1957, l'optimisme cède à la réserve. Comment expliquer ce retournement, aussi étonnant que brutal ?

Depuis la fin de la guerre, la consommation française de pétrole a augmenté à un rythme qui n'a cessé de s'accélérer : après avoir doublé entre 1938 et 1951, elle double de nouveau entre 1951 et 1959. À cette date, ce sont 22 millions de tonnes de pétrole qui sont nécessaires, chaque année, à l'économie nationale. Plus encore que le charbon, l'or noir doit être acheté à l'étranger, la production nationale, indigente, ne dépassant guère 3 à 4 % de la consommation nationale. On comprend que la découverte de gisements au Sahara ait été saluée avec enthousiasme. Tout n'aurait été qu'affaire de patience et Jules Ferry se révélerait un visionnaire !

Hélas, la manne n'est pas celle qu'on espérait : le pétrole algérien, de consistance légère, « ne donne pas les fuels dont l'industrie française a besoin [1] ». Il faut donc le vendre pour en acheter un autre... C'est à cette condition que la production algérienne peut alléger la facture pétrolière que la France acquitte chaque année. Reste encore à imposer le pétrole algérien sur un marché mondial déjà saturé : il y a la Libye, où l'on vient de découvrir un gisement considérable, à 1 800 mètres seulement de profondeur, pour plus de 3 300 mètres à Hassi Messaoud, et situé à 180 kilomètres de la côte au lieu de 660. Le premier avantage du pétrole algérien, sa proximité avec le débouché

---

1. Déclaration de Max Lejeune, ancien ministre du Sahara, rapporteur spécial de la commission des Finances de l'Assemblée nationale, *JORF*, 20 novembre 1959, p. 2716.

européen, est donc annihilé. Sans parler de l'Union soviétique, en passe de devenir le troisième producteur mondial, derrière les États-Unis et le Venezuela. On sait enfin que le Moyen-Orient lui-même « n'est exploité qu'à une faible partie de ses rendements possibles, et l'accroissement annuel de sa production est volontairement limité à 5 ou 7 %[1] ».

Pour corser le tout, le pétrole algérien est très cher : à ce moment-là, « le brut, tout compris, y compris les impôts, revenait à 1,10 $ à Hassi Messaoud et au Moyen-Orient le brut revenait à 10 cents le baril », le prix commercial du baril étant alors de 1,80 $. C'est pourquoi la CFP (Total), pourtant productrice de près de la moitié du gisement de Hassi Messaoud, souhaite limiter la commercialisation à 9 millions de tonnes de ce pétrole qui écrase ses profits. Elle lorgne, du coup, vers d'autres sources d'approvisionnement, notamment irakiennes. Il s'ensuit un conflit violent entre les deux partenaires : conflit entre l'impératif de rentabilité, défendu par la CFP, et l'intérêt politique, soutenu par Roger Gœtze, le président de la SN-Repal (et directeur du Budget au ministère des Finances), qui reçoit l'appui de Paul Delouvrier, délégué général du gouvernement en Algérie depuis décembre 1958. L'arbitrage est rendu par le général de Gaulle en personne, qui a visité Hassi

1. Papiers Gœtze, Comité d'histoire économique et financière de la France, Carton SN-Repal, conférence prononcée le 15 octobre 1959.

Messaoud en 1958 : Gœtze l'emporte, car « sortir » le pétrole du Sahara, en pleine guerre d'Algérie, c'est manifester la volonté de la France de mettre en valeur les ressources de sa colonie et appuyer son développement économique et social, stimulé par le Plan de Constantine lancé en octobre 1958.

Pour résoudre cette quadrature du cercle, un système protectionniste mais pénalisant pour le consommateur français est mis en place : obligation est faite à chaque société pétrolière, française et étrangère, opérant sur le marché national, d'acheter une part de la production algérienne, proportionnelle à ses quotas de distribution en France. Ce pétrole, dit « du devoir national », ne leur est pas vendu au prix commercial, celui du marché, soit 1,80 $ le baril, mais au « prix posté », c'est-à-dire fixé par l'État, de 2,08 $. Autant dire que si la terre d'élection des pétroles sahariens demeure longtemps essentiellement la France, c'est moins parce qu'ils permettent à notre pays de réaliser des économies que parce qu'ils ne trouvent pas ailleurs de débouchés suffisants. Une anecdote souligne combien la commercialisation de ce pétrole obsède les autorités françaises : en mars 1960, soutenant un candidat aux fonctions de conseiller du Commerce extérieur, François Gavoty, conseiller commercial aux États-Unis, écrit au ministère des Finances que son protégé « serait un excellent correspondant et un porte-parole très autorisé [...] dans les milieux de l'industrie du pétrole où nous avons le plus intérêt à disposer de certaines intelligences à un moment où se pose pour nous le *problème redoutable* [nous soulignons] de la vente et de la distribution de notre pétrole du Sahara [1] ».

Autrement dit, c'est l'Algérie qui dépend de la France pour écouler une production qu'elle ne trouve pas à employer elle-même, la consommation locale ne dépassant guère deux millions de tonnes par an, et qu'elle ne pourrait pas, réduite à elle-même, vendre à l'étranger.

Cette dépendance pétrolière et gazière de l'Algérie à l'égard de la France se prolonge d'ailleurs bien au-delà de l'indépendance. De 1963 à 1970, la France achète entre 66,8 % et 55 % de la production de pétrole de son ancienne colonie. *Idem* pour son gaz, découvert par la SN-Repal à Hassi R'Mel, quelques mois après Hassi Messaoud. Encore en 1982, les pouvoirs publics imposent à Gaz de France de surpayer le gaz algérien ! Aussi bien, quand le gouvernement français envisage, jusqu'à la conférence de presse du général de Gaulle du 5 septembre 1961, une partition de l'Algérie qui lui permettrait de conserver sa souveraineté sur le Sahara, c'est moins pour le pétrole que pour garder la haute main sur la base d'essais nucléaires de Reggane [2]. Le rêve pétrolier est bien mort et enterré.

---

1. AEF, dossier Conseiller du commerce extérieur, poste de Washington.
2. N. Carré de Malberg, *Entretiens avec Roger Gœtze*, CHEFF, Imprimerie nationale, 1997, p. 332.

9

Quand les immigrés venaient d'Europe

C'est évidemment en toute bonne foi que Marie, Française d'origine camerounaise de vingt-trois ans, pense, à l'instar de centaines de milliers de jeunes issus de l'immigration, comme on dit, que « la France est venue chercher nos parents pour qu'ils ramassent les poubelles ou fassent les chiens de garde ici [1] ». « On » les a fait venir quand « on » avait besoin d'eux, « ils ont fait les sales boulots dont les Français ne voulaient plus », « on » les rejette maintenant. Et si tout cela était plus compliqué ? Et si, derrière la figure, apparemment, banale, de l'OS algérien ou de l'éboueur africain se cachait une histoire autrement plus complexe de l'immigration coloniale en France, de ses causes et de son importance ?

---

1. *Le Nouvel Observateur*, n° 2144, 8-14 décembre 2005, dossier « La vérité sur la colonisation », p. 18.

Une croissance démographique trop faible pour fournir la main-d'œuvre nécessaire à son développement économique explique l'importance que revêt l'immigration, pour notre pays, à partir du milieu du XIXᵉ siècle : en 1851, lorsqu'on les recense pour la première fois, les étrangers sont 380 000 ; soixante ans plus tard, en 1911, ils sont 1 160 000. Entre ces deux dates, leur pourcentage dans la population française, en comptant les naturalisés, est passé de 1,05 % à 3,3 %. Dans leur immense majorité, ces immigrés viennent des pays voisins : Belgique, Italie, Allemagne, Suisse et Espagne.

Au XIXᵉ siècle et jusqu'à la Première Guerre mondiale, les travailleurs originaires des colonies – principalement d'Algérie – sont quelques milliers à peine. Saisonniers, ils sont convoyeurs de troupeaux de moutons, colporteurs venus faire la saison dans les stations balnéaires ou dans les villes de cure, ou encore marchands de tapis. Mais, dès le début du XXᵉ siècle, ils sont une dizaine de milliers à travailler dans les usines françaises. Ce sont par exemple ces ouvriers kabyles embauchés à Marseille en 1906, aux huileries Maurel et Prom, pour remplacer les ouvriers italiens en grève. À Paris et dans sa banlieue, ils sont entre 1 500 et 2 000 ; dans les départements du Nord et du Pas-de-Calais, à peu près autant.

Avec la Grande Guerre, l'immigration coloniale prend un tour inédit, à la fois massif et permanent.

Contrairement aux prévisions de l'état-major d'une guerre courte, l'offensive allemande, difficilement contenue sur les bords de la Marne (6-10 septembre 1914), dissipe les illusions : non seulement le conflit s'annonce long mais l'économie française est dans l'incapacité de produire les armements et les munitions que le front réclame.

Au début du mois de septembre, le ministre de la Guerre, Millerand, dresse ce constat alarmant : « Nous n'avons plus de munitions de 75 ; nous sommes désarmés. Si l'ennemi attaque en force, c'est pour nous le désastre irréparable. » Fabriquer des munitions devient une priorité absolue. « Un autre front s'ouvre, celui de la mobilisation industrielle »[1]. Pour satisfaire ces besoins nouveaux et considérables, on multiplie les ateliers de fabrication ; mais où trouver la main-d'œuvre nécessaire ? Car la mobilisation, qui a touché tous les hommes âgés de dix-huit à cinquante ans, a vidé les entreprises du gros de leur personnel.

Dans un premier temps, on s'adresse aux réfugiés des départements envahis par les troupes allemandes. Mais, dès le printemps 1915, le manque de bras se manifeste avec acuité. On se résout donc à placer les ouvriers les plus indispensables en sursis d'appel et 500 000 d'entre eux sont rappelés du front. Pour l'état-major, il est impossible d'aller au-delà, sauf à dégarnir dangereusement les régiments.

1. Cité par V. Viet, *Histoire des Français venus d'ailleurs, de 1850 à nos jours*, Perrin, Tempus, 2004, p. 87.

On fait appel aux femmes, aux ouvriers âgés ou retraités et aux apprentis : tout cela restant insuffisant, le recours aux travailleurs étrangers et coloniaux est rapidement indispensable. Entre 1915 et 1918, ce sont donc 167 000 Espagnols, 15 000 Portugais, 20 000 Grecs – sujets turcs –, 3 300 Italiens qui passent les frontières pour s'employer en France, dans l'agriculture et l'industrie. Les colonies sont également mises à contribution. Volontairement ou, à partir de 1916, enrôlés de force selon ce qu'il faut bien appeler une véritable chasse à l'homme, 78 566 Algériens, 35 506 Marocains, 18 249 Tunisiens, 48 955 Indochinois, enfin 4 546 Malgaches, au total près de 190 000 travailleurs coloniaux, auxquels s'ajoutent 36 941 Chinois, prennent le chemin des usines et des campagnes métropolitaines[1]. Peu présents en France même, les Africains de l'AEF et de l'AOF ne sont pas épargnés : toute l'Afrique est mise au travail pour ravitailler la métropole, particulièrement en arachides[2].

La guerre finie, les travailleurs coloniaux sont, pour la plupart, rapatriés : en 1920, il reste en France environ 5 000 Nord-Africains et 1 200 Chinois[3].

---

1. B. Nogaro et L. Weil, *L'Introduction de la main-d'œuvre étrangère et coloniale pendant la guerre*, PUF, 1926, p. 25.

2. M. Michel, *Les Africains et la Grande Guerre*, Karthala, 2003, chapitre III.

3. Un certain nombre, toutefois, ont été employés, après l'Armistice et jusqu'à la fin de 1919, aux travaux de reconstruc-

L'hécatombe de 1914-1918, qui a tué près de 1 400 000 Français en pleine force de l'âge et en a mutilé 900 000 autres, crée des exigences considérables en main-d'œuvre. Il faut reconstruire les provinces dévastées, puis accompagner la croissance économique particulièrement dynamique des années 1920. Toutes les conditions se trouvent réunies pour que se déclenche une nouvelle et massive vague d'immigration. Vers qui la France se tourne-t-elle ? Les travailleurs coloniaux ont-ils joué un rôle décisif dans cette reconstruction ?

À la fin de la décennie, les étrangers sont plus de trois millions, soit plus de 7 % de la population totale : un record. Mais au même moment, les coloniaux, eux, sont à peine plus de 150 000, dont une centaine de milliers d'Algériens, 10 000 Marocains et 40 000 Indochinois. Autrement dit, plus de neuf travailleurs immigrés sur dix viennent d'un pays européen. On voit bien que l'immigration coloniale n'a pas alors l'importance numérique que certains veulent maintenant lui accorder. De même dans l'industrie : en 1926, les immigrés européens représentent 7,94 % des actifs employés dans ce secteur. Quant à la proportion des « Africains » – c'est-à-dire des Algériens et des Marocains réunis

tion du pays. Ainsi, Nogaro et Weil indiquent (*L'Introduction de la main-d'œuvre...*, p. 26) que la Compagnie des chemins de fer du Nord et celle du chemin de fer de l'Est ont chacune employé 8 000 travailleurs indochinois à la remise en état de leurs réseaux.

par les statistiques sous cette appellation –, elle est de 0,37 % [1].

Contrairement à une légende tenace, le métro de Paris pas plus que les HBM qui ceinturent la capitale n'ont été construits par des Kabyles. Quelques dizaines d'entre eux sont occupés sur ces chantiers, mais on y trouve surtout des ouvriers venus de Bretagne et du Limousin, d'Italie, de Belgique et d'Espagne... Dans les corons du Nord, les mineurs français côtoient des Polonais, des Belges et quelques Marocains ; dans les cités minières et sidérurgiques de l'Est, des Italiens.

D'ailleurs, une réglementation tatillonne s'efforce de dissuader les Algériens de quitter la colonie. Et ce, à la demande des hommes d'affaires et des colons, qui perçoivent l'Algérie comme « un chantier déserté » et qui redoutent les hausses des salaires qu'entraînerait une pénurie de main-d'œuvre. À l'automne 1924, des instructions ministérielles requièrent des Algériens désireux de se rendre en métropole la possession d'un contrat de travail, d'un certificat médical et d'une carte

---

1. Calcul réalisé à partir de l'*Annuaire statistique de la France* de l'INSEE, et de G. Mauco, *Les Étrangers en France*, Armand Colin, 1932, Annexes, tableau n° 6. Dans le secteur des mines et carrières, sur un effectif total de 438 000 salariés, on compte deux tiers de Français, 32 % d'immigrés européens et seulement 1,40 % d'« Africains ». Dans le bâtiment et les travaux publics, on compte 0,22 % d'« Africains ». Dans la chimie, secteur où ils sont proportionnellement les plus nombreux, ils forment 2,61 % des effectifs contre 14,40 % d'Européens.

d'identité. Ces dispositions étant insuffisantes pour endiguer le flot des départs, des contraintes supplémentaires sont imposées ; une première fois en juin 1926 : le candidat doit détenir un pécule couvrant ses premiers frais en France et présenter un extrait du casier judiciaire établissant qu'il n'a pas subi de condamnation grave ; puis, une seconde fois, en avril 1928 : versement d'un cautionnement pour couvrir d'éventuels frais de rapatriement et obtention d'un visa d'embarquement après nouvel examen médical.

Tout bascule avec la grande dépression des années 1930. Pour de nombreux Français, le chômage est la faute des étrangers. Un peu partout des manifestations se produisent où l'on scande des slogans empruntés à l'extrême droite : « le travail aux Français ! », « la France aux Français ! ». Le député de droite Pierre Amidieu du Clos résume bien un sentiment très répandu lorsqu'il déclare à la Chambre des députés, le 18 décembre 1931, que le pays ne souffre pas « d'une crise du chômage national, mais d'une crise d'invasion étrangère [1] ». Cette stigmatisation n'est pas propre au « populo », avocats et médecins exigent aussi, et obtiennent, que leur corporation soit protégée de la concurrence étrangère. Une partie de la gauche, comme

---

1. *JO*, débats de la Chambre, 18 décembre 1931, cité par R. Schor, *Histoire de l'immigration de la fin du XIXᵉ siècle à nos jours,* Armand Colin, 1996, p. 121.

les radicaux Édouard Daladier et Pierre Mendès France, le socialiste Roger Salengro, certains dirigeants de la Ligue des droits de l'homme se rallient à la demande de contingentement de la main-d'œuvre étrangère, tandis que la CGT réformiste réclame que les travailleurs français bénéficient de la préférence à l'embauche.

C'est dans ce contexte de montée de la xénophobie qu'est votée, à l'unanimité – le groupe communiste s'abstenant –, la loi du 10 août 1932 visant à protéger la main-d'œuvre nationale. Désormais, les pouvoirs publics peuvent fixer par décrets la proportion maximale d'étrangers que les entreprises ont le droit d'employer. Ces dispositions se révélant insuffisantes, elles sont bientôt complétées par différentes mesures de restriction : fermeture des frontières, limitation du nombre des régularisations et des opérations de renouvellement des cartes. Le décret du 6 février 1935 condamne à l'expulsion les étrangers qui, ne pouvant justifier d'une présence de plus de dix ans sur le territoire national, exercent une profession dans un secteur touché par le chômage. Entre 1931 et 1936, près de 130 000 Polonais, selon les sources françaises, regagnent volontairement ou non leur pays. « Le jour de quinzaine, en même temps que leur paye, les ouvriers risquent de se voir remettre une carte de congé professionnel assortie d'un bon pour convoi de rapatriement. Cela devient une véritable hantise. Tous les quinze jours, ils tremblent en remontant du puits, ignorant si cela ne sera pas leur tour »[1]. Pour ceux qui sont congédiés, il faut, en toute hâte, préparer un maigre bagage : 30 kg par adulte, 20 kg par enfant de moins de sept ans.

Certains employeurs pratiquent spontanément cette politique de préférence nationale. Dès octobre 1930, la direction de Pont-à-Mousson décide de renvoyer les étrangers et « de garder les gens du pays, au moins quand c'est possible[2] ». En avril 1930, la société emploie 8 404 ouvriers, dont 3 950 Français et 4 454 étrangers. À la fin de l'année 1935, ses effectifs sont ramenés à 3 951 ouvriers, parmi lesquels 2 608 Français et seulement 1 343 étrangers. Autrement dit, les licenciements ont concerné un tiers des ouvriers français mais deux tiers des ouvriers étrangers. Lors d'une réunion du conseil général de Meurthe-et-Moselle, les critères de licenciement établis par les maîtres de forges lorrains sont présentés ainsi : « Les licenciements ont porté en premier lieu sur les ouvriers étrangers célibataires ; puis sur les ouvriers étrangers mariés, puis les Français célibataires et enfin les Français mariés[3]. »

---

1. J. Ponty, *Polonais méconnus*, Publications de la Sorbonne, 2005, p. 310 et 312.

2. A. Baudant, *Pont-à-Mousson (1918-1939), Stratégies industrielles d'une dynastie lorraine*, Publications de la Sorbonne, 1980, p. 101.

3. Cité par G. Noiriel, *Longwy, immigrés et prolétaires, 1880-1980*, PUF, 1984, p. 267.

Au total, entre 1931 et 1936, le nombre des étrangers recensés recule de 437 000. Compte tenu des 156 000 naturalisations intervenues au cours de cette période, les départs s'élèvent à 280 000.

Quel sort les travailleurs coloniaux connaissent-ils durant ces années ? Les immigrés originaires d'Afrique noire sont-ils victimes de la loi d'août 1932, comme le suggèrent les auteurs de *Culture impériale*[1] ? N'étant pas ouvriers, à quelques exceptions près, mais étudiants, artistes ou soldats, ils n'entrent pas – ou marginalement, s'agissant des artistes de théâtre ou de cabaret – dans le champ de la loi. On ne voit donc pas bien comment ils en auraient subi les effets. Quant aux Algériens, qui constituent le gros des travailleurs coloniaux, ils sont protégés parce qu'ils sont français ! La consultation de quelques dossiers d'archives aurait d'ailleurs prévenu nos auteurs contre des conclusions trop hâtives : les pouvoirs publics le répètent à l'envi, les Algériens sont partie intégrante de la main-d'œuvre nationale, et bénéficient naturellement des dispositifs de protection des travailleurs français mis en place, même si ces règles sont loin d'être toujours respectées : à Lyon, par exemple, les Algériens sont exclus des chantiers ouverts aux chômeurs par la ville[2].

---

1. P. Blanchard et E. Deroo, « Contrôler : Paris, capitale coloniale », in P. Blanchard et S. Lemaire, *Culture impériale, 1931-1961*, Autrement, 2004, p. 116.

2. G. Massard-Guilbaud, *Des Algériens à Lyon, de la Grande Guerre au Front populaire*, L'Harmattan, 1995, p. 363.

Indéniablement, pourtant, on enregistre une baisse du nombre d'Algériens en France entre 1930 et 1936. Mais celle-ci ne résulte aucunement de la loi d'août 1932. Les explications sont à chercher ailleurs. D'abord dans la fréquence du chômage qui frappe cette population, non par effet de la réglementation, mais parce que le patronat se sépare, en priorité, du personnel pas ou peu qualifié, ce qui est le cas de la plupart des Algériens. En outre, beaucoup ne perçoivent pas les secours versés aux chômeurs, parce qu'ils ne remplissent pas les conditions exigées. Privés de ressources, ils n'ont alors d'autres perspectives que de regagner leur village. De l'autre côté de la Méditerranée, ceux qui reviennent découragent les nombreux candidats au départ. Ainsi, comme l'a montré Abdelmalek Sayad, les Algériens s'ajustent-ils « "spontanément" et tout "naturellement" aux nécessités de l'immigration [...] sans qu'il y ait besoin d'incitations, d'encouragements ou de contraintes à cet effet [1] ».

En aucun cas, les Algériens ne sont l'objet des mesures de reconduite forcée à la frontière qui frappent beaucoup d'étrangers, en particulier ceux réduits au chômage. Certes, les voix sont nombreuses, notamment d'élus locaux et de journalistes, pour exiger que les Algériens sans travail

---

1. A. Sayad, « L'immigration algérienne en France, une immigration exemplaire », in É. Témime et J. Costa-Lascoux, *Les Algériens en France*, Publisud, 1985, p. 37.

soient « rapatriés ». Mais c'est à tort qu'on en tirerait la conclusion que ces appels ont été entendus : parce qu'ils sont français, ils ne peuvent être expulsés pour des raisons économiques et rien ne peut s'opposer à l'entrée en métropole de ceux qui remplissent les conditions exigées. Une liberté de circulation totale – sans condition – est même rétablie par le Front populaire, de juillet à octobre 1936 ; mais l'afflux des Algériens est tel qu'il paraît nécessaire de reinstituer des contrôles, pour éviter un déséquilibre du marché du travail.

La Seconde Guerre mondiale entraîne une forte chute des entrées, à l'exception des quelques centaines d'ouvriers algériens embauchés par l'organisation Todt pour participer à la construction du mur de l'Atlantique. Si des programmes plus ambitieux d'introduction de travailleurs algériens sont décidés à l'automne 1942, notamment par les autorités d'Occupation, le débarquement anglo-saxon en Afrique du Nord, en novembre 1942, empêche leur réalisation et isole totalement l'Algérie de la métropole jusqu'à la Libération.

10

Qui a reconstruit la France après 1945 ?

Au lendemain de la Seconde Guerre mondiale, la nécessité de recourir à l'immigration pour pallier le manque de bras est admise par tous. Précisément, pour réaliser les objectifs du premier Plan de modernisation et d'équipement (le plan Monnet), on estime indispensable d'introduire 480 000 travailleurs immigrés avant la fin de l'année 1947 et un total de 1,5 million d'ici à la fin de 1950.

Où trouver ces travailleurs ? Dans l'empire colonial ou en Europe ?

À lire les statistiques, la réponse ne fait guère de doute : c'est dans l'empire, et précisément en Algérie, que le recrutement s'est opéré. Entre 1947 et 1950, 190 000 travailleurs étrangers sont introduits en France, *via* le nouvel Office national de l'immigration (ONI), créé le 2 novembre 1945, qui dispose du monopole de l'introduction des étrangers. Dans le même temps, parce qu'ils sont citoyens français, 320 000 Algériens traversent la Méditerranée, sans avoir à passer par les services de l'ONI, ni à se plier à aucune formalité particulière. Si l'immigré venait jusque-là surtout des pays européens proches de la France, pour la première fois, les flux d'origine coloniale l'emportent sur ceux d'origine européenne. Cette caractéristique nouvelle s'amplifie, ensuite, jusqu'à ce que la guerre d'Algérie inverse provisoirement les courants. En 1946, les Algériens représentent moins de 3 % des populations immigrées ; ils sont 16 % en 1962. Ils constituent alors la troisième communauté immigrée de France par le nombre.

Populations étrangères et algérienne en France[1].

1946			1954			1962		
Italiens	26 %	1er	Italiens	29 %	1er	Italiens	29 %	1er
Polonais	24 %	2e	Espagnols	16 %	2e	Espagnols	20 %	2e
Espagnols	17 %	3e	Polonais	15 %	3e	Algériens	16 %	3e
Belges	9 %	4e	Algériens	12 %	4e	Polonais	8 %	4e
Algériens	3 %	5e	Belges	6 %	5e	Belges	4 %	5e
Portugais	1 %	6e	Portugais	1 %	6e	Portugais	2 %	6e

Quelle part les immigrés ont-ils prise au rétablissement de la France après 1945 ? Dès lors qu'on veut nous persuader que les « Kabyles ont reconstruit la France », il n'est pas malvenu d'apprécier la

___

1. J. Dupâquier, *Histoire de la population française de 1914 à nos jours*, PUF, 1995, p. 463.

pertinence de cette allégation à l'aune de quelques données chiffrées. Tous les historiens de l'économie française s'accordent pour estimer qu'en 1950-1951, la France s'est relevée des destructions de la guerre. Cinq à six ans d'efforts et de sacrifices considérables ont été nécessaires pour parvenir à ce résultat. En 1951, 150 000 Algériens et moins d'une dizaine de milliers de Marocains et de Tunisiens sont en France : ces 160 000 coloniaux – à supposer que tous soient des actifs – comptent alors pour moins de 1 % de la population active totale. Difficile d'admettre qu'une si faible proportion ait pu parvenir à un tel résultat !

Mais, objectera-t-on, si les ouvriers algériens sont encore peu nombreux, on ne peut nier qu'ils occupent dans l'industrie les tâches les plus difficiles, les plus dangereuses, les plus rebutantes et les moins bien rémunérées. Ils font ce que les Français ne veulent plus faire. De ce point de vue, leur apport est donc bien indispensable, comme le directeur des établissements Francolor le reconnaît, en février 1947 : « Nous avons beaucoup de mal à trouver des ouvriers français. Cette année, les travailleurs nord-africains nous ont bien dépannés[1]. »

Cette certitude, désormais gravée dans les Évangiles de la bien-pensance, repose pourtant sur une

---

1. Cité par H. Fraye-Ouanas et S. Viscogliosi, *Étrangers et Français musulmans à Saint-Denis de 1945 à 1962*, thèse de doctorat en histoire, université Paris X, 2006, p. 294.

lecture partielle – et donc partiale – d'une réalité autrement plus complexe. La lecture partielle se fonde sur un constat statistique : en 1952, 71 % des Nord-Africains travaillant en métropole sont des manœuvres, 24 % des OS et seulement 5 % des ouvriers qualifiés[1]. À Renault-Billancourt, en 1954, 95 % des ouvriers algériens sont manœuvres ou OS. Incontestablement, la plupart des ouvriers algériens se situent donc bien aux échelons les plus bas de la hiérarchie ouvrière. Mais, de partielle, la lecture devient partiale, dès lors que, de ce constat, on glisse vers l'idée qu'ils se substitueraient systématiquement aux Français désormais absents de ces postes, c'est-à-dire que le monde des manœuvres et des OS serait essentiellement peuplé de travailleurs coloniaux. Or, si l'on observe l'origine des ouvriers qui occupent ces emplois, on trouve d'abord des ouvriers français, puis des ouvriers italiens, belges, espagnols, polonais, etc., qui, sur ce plan, partagent le sort de leurs camarades nord-africains. Renault-Billancourt, premier employeur d'Algériens, occupe 19 000 manœuvres et OS au début des années 1950. Sur ce total, 3 200 sont nord-africains, soit moins de 17 %[2].

---

1. Rapport général de la commission de la main-d'œuvre du Commissariat général au plan, *Revue française du travail*, n° 3, 1954, p. 29.

2. Calculs effectués à partir des données fournies par L. Pitti, *Ouvriers algériens à Boulogne-Billancourt*, thèse de doctorat en histoire, université Paris VIII, 2002 (à paraître aux éditions Bouchène), t. I, p. 97 et 113-114.

Autrement dit, les quatre cinquièmes des ouvriers les plus humbles de Billancourt ne viennent pas d'Afrique, mais des régions de France et des pays voisins d'Europe.

Sans mésestimer l'apport de la main-d'œuvre coloniale à l'entreprise de reconstruction, affirmer qu'elle a joué un rôle décisif à cette occasion n'est pas seulement excessif. À ce niveau d'exagération, c'est de fable – ou de mensonge – qu'il faut parler ! Après la Seconde Guerre mondiale comme à l'issue de la Grande Guerre, la main-d'œuvre coloniale n'a pas eu l'importance numérique et donc économique qu'on lui accorde généralement. Son rôle dans le relèvement national est même marginal – ce qui ne veut pas dire inutile – et une autre politique migratoire aurait pu, sans difficulté, pallier son absence. Ce qui nous amène à examiner un autre volet de la propagande repentante, « on les a fait venir quand on a eu besoin d'eux ».

Au cours de la Grande Guerre, le recrutement de travailleurs coloniaux s'est révélé à tel point indispensable qu'il a donné lieu à des réquisitions forcées, voire à une véritable chasse à l'homme. En a-t-il été de même après la Seconde Guerre mondiale ? Une des grandes erreurs des Repentants est d'appréhender l'histoire de l'immigration comme un ensemble homogène, comme un tout, qui répondrait à des déterminations identiques, quelle que soit la période historique considérée et quel que soit le secteur d'activité concerné. Bref, les mécanismes de 1914-1918 joueraient encore après 1946, et, bien entendu, si « l'État favorise cette venue de Nord-Africains en métropole » ce serait sous la pression du patronat[1].

Pourtant, ce n'est pas dans les besoins de l'industrie française, quelques cas d'espèce exceptés, qu'il faut chercher l'origine de l'immigration massive des Algériens dans la France de l'après-guerre et des Trente Glorieuses. Contrairement à la légende, le patronat français n'est pas allé sur place enrôler la main-d'œuvre algérienne. Pourquoi, d'ailleurs, se serait-il lancé dans un racolage coûteux, alors que les candidats se pressent aux portes des usines ? Chez Renault-Billancourt, « les embauches s'effectuent sur place, par sélection des candidats qui se présentent spontanément aux portes de l'entreprise[2] ». Dans son roman *Élise ou la Vraie Vie*, Claire Etcherelli décrit ces mêmes files d'attente aux portes des usines Citroën du quai de Javel : « À huit heures moins le quart, je revins au bureau d'embauche. Quelques hommes, des étrangers pour la plupart, attendaient déjà[3]. »

1. P. Blanchard *et alii*, « L'immigration : l'installation en métropole des populations du Maghreb », in P. Blanchard et S. Lemaire, *Culture impériale*, p. 220.

2. L. Pitti, *Ouvriers algériens à Boulogne-Billancourt*, p. 121.

3. Cl. Etcherelli, *Élise ou la Vraie Vie*, Gallimard, Folio, 1972, p. 74.

Comment expliquer d'ailleurs le paradoxe d'une main-d'œuvre qu'on aurait fait venir alors qu'elle est frappée par un chômage massif ? En 1953, 115 000 des 220 000 Algériens présents en France sont au chômage, à un moment où les statistiques officielles enregistrent au total 179 000 demandes d'emploi non satisfaites [1].

On ne peut pas non plus se satisfaire de l'argument d'un racisme généralisé des patrons, même s'il a existé chez certains. Parce que alors, comment comprendre qu'au même moment les travailleurs marocains, objet d'appréciations élogieuses, constituent une main-d'œuvre estimée et recherchée ? Ainsi la direction des Charbonnages de France envoie-t-elle des recruteurs sillonner l'Anti-Atlas où elle embauche 30 000 mineurs entre 1945 et 1979.

Il y a bien eu à Alger, cependant, des recruteurs qui incitaient les Algériens à se rendre en France : on trouve trace de leur activité dans les archives – sauf que ces « recruteurs » n'agissaient pas pour le compte du patronat métropolitain, mais pour des officines fort peu scrupuleuses. Témoin celle qui abuse, en 1937, des Algériens habitant les Aurès : après s'être rendus à Nancy, « au simple appel d'un industriel recruteur de main-d'œuvre » qui leur a escroqué l'équivalent d'un mois de salaire, ils sont

---

1. V. Viet, *La France immigrée*, p. 181, note 1.

« obligés aujourd'hui de regagner l'Algérie, le travail qui leur avait été promis étant inexistant [1] ». Il y a aussi des employés agissant pour le compte de compagnies de navigation ou de compagnies aériennes peu regardantes, dont le but est de vendre des billets de transport en abusant leurs victimes avec de fausses promesses. Ainsi, le 9 août 1951, le lecteur d'*Alger républicain* – journal proche du parti communiste algérien – est-il informé qu'« au moyen de rabatteurs, des compagnies de navigation exploitent la détresse. "Allez en France ! il y a du travail" et les dupes n'y trouvent qu'asiles de nuit ». L'information est jugée suffisamment préoccupante pour alerter les services du gouvernement général de l'Algérie qui estiment nécessaire « de mettre un terme à l'activité des rabatteurs [2] ».

C'est sans doute de ce côté qu'il faut chercher l'explication des très nombreuses déclarations d'Algériens assurant s'être rendus en France après avoir été contactés, dans leur village ou à Alger, par des agents « patronaux ». Ces témoignages sont évidemment sincères. Mais ils traduisent ce que ces travailleurs ont perçu, non pas la réalité de l'escroquerie dont ils ont été les victimes. On ne saurait,

---

1. FR CAOM 93/1415, GGA, Direction de la sécurité générale, n° 11609 B, au préfet de Constantine, 26 juin 1937.
2. CAOM, 40 G 38, GGA, Service des liaisons nord-africaines, note au directeur général de la Sécurité générale, 6 septembre 1951.

bien entendu, leur en faire reproche. On sera moins indulgent, en revanche, envers ceux qui manipulent ces témoignages pour servir leur cause...

Tout au contraire, les patrons se sont longtemps montrés rétifs à embaucher les Algériens, et ce, des années 1920 jusqu'à l'indépendance de la colonie. Quelques exemples éclairants :

C'est, en octobre 1923, le préfet de la Nièvre qui assure que les Algériens de son département, employés dans les Mines de la Machine ou à la Fabrique de plâtre et dans les verreries de Saint-Léger-des-Vignes, ne sont pas une « main-d'œuvre recherchée par les employeurs qui la trouvent peu stable et d'un rendement insuffisant ». Son collègue du Pas-de-Calais ne dit pas autre chose : « les employeurs s'accordent à dire que le rendement de ces ouvriers est inférieur à celui des Français, Polonais ou autres... »[1].

C'est, en 1937, le directeur de la Compagnie des mines de houille de Marles qui informe que sa société ne pense pas « devoir utiliser cette main-d'œuvre dont la qualité professionnelle nous paraît inférieure à celle des ouvriers de la métropole ». La même année, les dirigeants des mines de Lens, qui

---

1. CAOM, 9 H / 112. Enquête prescrite par le ministre de l'Intérieur sur « la situation des indigènes originaires d'Algérie, résidant dans la métropole », 16 juillet 1923. Réponses des préfets.

n'emploient que 363 ouvriers nord-africains, parmi lesquels 5 seulement ont plus d'un an d'ancienneté, font savoir qu'ils ne sont pas « décidés à en augmenter le nombre d'une façon importante »[1].

C'est la publication d'une mise en garde du gouvernement général de l'Algérie dans le grand journal de l'Est algérien, *La Dépêche de Constantine*, le 26-27 juin 1949 : « Travailleurs algériens, ne partez pas en France sans un contrat de travail. »

C'est le compte rendu d'un inspecteur des Renseignements généraux qui signale le passage à Bougie, le 6 septembre 1949, du président de l'Amicale des Nord-Africains à Paris, muni de lettres de recommandation officielles, dont la tournée en Algérie a pour but « de tenter de freiner l'exode des Nord-Africains vers la métropole[2] ».

C'est la publication, dans le *Bulletin du CNPF*, le 5 juin 1952, d'un long article dans lequel le conseiller technique du CNPF pour les questions nord-africaines s'inquiète de « la discordance entre les arrivées de Nord-Africains en métropole et les emplois offerts » avant de suggérer l'adoption de

1. Centre des archives du monde du travail (Roubaix), 40 AS 48, enquête de la CGPF concernant l'emploi de la main-d'œuvre nord-africaine dans l'industrie et le commerce de la métropole (15 novembre 1937).

2. 93/4127, GGA, préfecture de Constantine, sous-préfecture de Bougie, police des RG, inspecteur détaché A. au commissaire principal, chef de la police des RG du district de Constantine, n° 1309, 7 septembre 1949.

mesures réglementaires pour freiner « cette véritable ruée »[1].

C'est une longue étude intitulée « L'immigration nord-africaine et l'économie métropolitaine », publiée en juin 1953, dans laquelle l'organisation patronale réitère ses préventions à l'égard de l'embauche des Algériens.

La liste pourrait s'allonger encore, mais je n'abuserai pas de la patience de mon lecteur.

Lorsque Tarik Ramadan affirme, avec toute l'assurance qu'on lui connaît, que les travailleurs venus d'Afrique du Nord « ont reconstruit la France[2] » après 1945, on peut s'interroger sur les arrière-pensées qui président à une telle assertion. Au fond, le lieu commun, profondément ancré dans la conscience nationale, d'une main-d'œuvre que les patrons seraient allés enrôler dans les douars pour la conduire à l'usine, généralement entretenu sur un mode compassionnel par les Repentants, remplit une fonction : il sert à justifier l'existence d'une créance de la société et de l'État français à l'égard de ces travailleurs, que certains de leurs descendants, réels ou imaginaires, se posant en ayants droit, entendent monnayer.

---

1. « L'émigration et l'immigration en France », *Bulletin du CNPF*, juin 1952.
2. À l'émission « Culture et dépendances », France 3, présentée par F.-O. Giesbert le 14 décembre 2005.

11

Une Algérie clochardisée

Si ce ne sont pas les besoins en main-d'œuvre de la France qui justifient l'immigration algérienne au temps de la reconstruction ou des Trente Glorieuses, qu'est-ce qui l'explique ?

Tout montre que les réponses à cette question sont à rechercher en Algérie même, dans la crise économique et sociale profonde qui mine la colonie, et qui, s'aggravant considérablement au milieu des années 1930, en ébranle dangereusement tous les fondements. Ce constat interdit, au demeurant, de verser dans la « nostalgérie » et de repeindre en rose les réalités économiques et sociales de l'Algérie coloniale. En 1931 déjà, un ancien gouverneur général, Maurice Viollette, s'inquiétait de cette situation dans un ouvrage au titre prémonitoire, *L'Algérie vivra-t-elle ?*

Cette crise résulte notamment de la stagnation des productions agricoles, voire du recul de certaines d'entre elles – à l'exception des agrumes. Elle se lit dans les chiffres fournis par l'administration elle-même[1] : depuis des décennies, la production annuelle de céréales par habitant n'a cessé de reculer, tout comme la production ovine ou encore celle des légumes secs. *A contrario*, l'Algérie connaît une véritable explosion de sa population, qui passe de 6 millions en 1926 à plus de 9 millions en 1954, selon un rythme d'augmentation progressivement accéléré qui « permettrait de classer l'Algérie dans la catégorie des pays du Tiers Monde en voie de surpeuplement[2] ».

Au milieu des années 1950, l'Algérie doit donc assurer la subsistance, le toit, la scolarisation et le travail à une population qui grossit chaque année de près de 250 000 personnes. Tous les rapports officiels, tous les témoignages informés confirment qu'elle n'y parvient pas. Dès avant la Seconde Guerre mondiale, ce qu'on persiste parfois à nommer « le grenier à blé de Rome » peine à se nourrir.

La très grande inégalité dans la répartition des richesses et des ressources – qui recouvre pour l'essentiel la répartition « ethnique » de la population – aggrave les conséquences de ce marasme économique. En 1955, selon *L'Algérie industrielle et commerciale*, organe des milieux patronaux algériens, le revenu moyen agricole, qui concerne les

---

1. Sur cet aspect je me permets de renvoyer le lecteur à D. Lefeuvre, *Chère Algérie, la France et sa colonie*, rééd. Flammarion, 2005, p. 75 *sq.*

2. Ch.-R. Ageron, *Histoire de l'Algérie contemporaine*, t. II, *1871-1954*, PUF, 1979, p. 471.

trois quarts de la population musulmane, est inférieur à 20 000 francs, « à peine supérieur à celui de l'Hindou ». Un rapport officiel, déposé au mois de juin suivant, estime, pour sa part, que 93 % des Algériens appartiennent aux couches les plus pauvres de la population [1].

À cette production insuffisante de richesses s'ajoute le fléau d'un chômage massif. Ce drame se manifeste d'abord dans l'agriculture. Surchargée de bras (65 % de la population active relève de ce secteur), elle n'offre guère plus de 100 journées de travail par an à ceux qu'elle occupe [2]. Plus du tiers de la population rurale est totalement ou très largement inemployé. Sans parler du chômage urbain, qui, malgré les ambitieux projets d'industrialisation du territoire, frappe, selon les estimations officielles, au moins 335 000 personnes, certains parlant de 470 000 [3].

Au total, le chômage ou le travail épisodique constituent l'univers quotidien de 1 million à

1. Rapport du groupe d'études des relations financières entre la métropole et l'Algérie [dit rapport Maspétiol], juin 1955, p. 69.

2. Voir en particulier Jean Vibert, directeur du Plan de Constantine, « Quelques observations, chiffres ou idées complétant le rapport général du plan », 26 septembre 1961, p. 9.

3. Conseil économique, commission de l'économie de l'Union française, groupe de travail pour l'étude de la situation économique et sociale de l'Algérie, séance du 23 mars 1955, Audition de M. Serre de Justiniac.

1 500 000 Algériens musulmans, soit près d'un quart de la population – des deux sexes – en âge de travailler.

Dans les campagnes, comme dans les agglomérations qui se ceinturent de bidonvilles, la misère est grande. Ce sont 6 millions de personnes, soit les deux tiers de la population totale de la colonie, qui ne disposeraient pas du minimum vital[1]. Dès avant la Seconde Guerre mondiale, certains observateurs, comme René Bertrand, professeur à l'École supérieure de commerce d'Alger, tirent la sonnette d'alarme sur la réalité et la gravité de cette contradiction : « L'Algérie semble déjà ne plus suffire à assurer la subsistance d'une grande partie de sa population dont les conditions de vie économique, notamment depuis 1936, sont tout à fait précaires. Il ne s'agit plus de ces disettes périodiques qu'entraînaient jadis l'anarchie ou de mauvaises récoltes. Le mal est plus profond. [L'Algérie] est-elle condamnée désormais à mourir de faim[2] ? » En mai 1954, l'évêque de Constantine, Mgr Pinier, déplore, avec des accents qui ne sont pas sans rappeler ceux de l'abbé Pierre, que parler de la faim en

---

1. Selon les données fournies par Jacques Peyrega, directeur de l'Institut de recherches économiques et sociales d'Alger, doyen de la faculté de droit d'Alger, dans un article publié dans *Marchés coloniaux du monde*, n° 543, 7 avril 1956.

2. R. Bertrand, « L'Algérie est-elle un pays riche ? Surpeuplement », *Algéria*, supplément économique, n° 26, avril 1939.

Algérie « c'est évoquer une réalité poignante ». « Drame collectif d'une population, non de quelques familles malchanceuses, mais de millions de personnes que ne nourrit pas la terre qui les porte. Drame qui n'est pas momentané, comme serait une famine saisonnière, mais installé en permanence au cœur de notre économie et de notre géographie et qui ravage des générations entières de familles mal nourries, sous-alimentées, en état de grave carence vitale [1]. »

Les médecins militaires mesurent, à leur aune, l'étendue de cette misère. En 1958, les commissions médicales de révision ont déclaré « aptes » au service militaire 90,39 % des jeunes pieds-noirs. Mais elles ont retenu, à l'issue d'une sélection pourtant qualifiée de « peu sévère [2] » par les militaires eux-mêmes, seulement 65 % des jeunes Algériens musulmans. Si le poids moyen du conscrit d'origine européenne est alors de 59,72 kg, celui du conscrit musulman n'est que de 53 kg. Autre critère, d'une liste que l'on pourrait allonger, hélas, la mortalité précoce qui frappe les Algériens musulmans. Alors qu'en France l'espérance de vie est de

---

1. Secrétariats sociaux d'Algérie, La lutte des Algériens contre la faim, Journées d'études, 27 mai 1954, allocution de Mgr Pinier, p. 273.
2. SHAT, 1 H 1390/D1, Xe Région militaire, Direction du service de santé, rapport sommaire sur les opérations médicales de révision des jeunes conscrits de la classe 1959, 5 septembre 1958.

67 ans pour les hommes et de 73,6 ans pour les femmes, elle ne s'élève, en Algérie, toutes populations confondues, qu'à 60 ans pour les premiers et 67 ans pour les secondes.

C'est une population pour une grande part « clochardisée[1] » que les soldats du contingent découvrent avec stupéfaction. À deux reprises, l'un d'eux livre sur ce point un témoignage poignant par sa sobriété. De Cherchell, le 28 septembre 1958, André Segura écrit à ses parents : « j'ai dû donner, pour la plus grande joie d'un petit Arabe, mon vieux dufflecoat qui maintenant est une loque moisie mais qu'un enfant d'ici utilisera très bien ». Du même, dans un courrier rédigé de Constantine, le 5 octobre suivant : « Si vous pouviez voir la couleur des vêtements de ces gosses et leurs détails, vous constateriez qu'on les croirait sortis de la cour des Miracles alors que Villon y chantait encore. La misère est ici sous la forme la plus brutale, ils se battent pour quelques sardines »[2].

L'émigration constitue la seule échappatoire à cet univers de misère, dès lors que le système colonial entrave les possibilités d'industrialisation de la colonie et d'une réforme agraire audacieuse. Le rythme même des courants migratoires en témoigne. C'est principalement la situation des

---

1. G. Tillion, *L'Algérie en 1957*, Minuit, 1957.
2. *Lettres d'Algérie, André Segura, la guerre d'un appelé, 1958-1959*, Nicolas Philippe, 2004, p. 171 et 184.

récoltes, en Algérie, qui régit désormais l'importance des départs pour la France [1]. Comme aucun obstacle administratif ne s'oppose à leur venue en métropole, les Algériens, parce qu'ils sont français, se tournent vers elle pour se procurer ce que leur terre leur refuse. Espérance souvent trahie, d'ailleurs, comme le préfet de Constantine le souligne dans une note adressée en mai 1949 à ses subordonnés : « Si le chômage sévit en Algérie et s'il est le principal responsable de l'exode des travailleurs, ceux-ci sont trop souvent victimes des illusions qui leur font espérer trouver en France continentale les moyens de subvenir à leur existence. L'expérience a malheureusement prouvé la vanité de ces espérances et il est essentiel d'intensifier la campagne psychologique destinée à leur démontrer les risques de misère auxquels ils s'exposent en quittant leur pays sans contrat de travail. Un cas particulier typique permet d'illustrer cette situation. Le maire de Faux-la-Montagne (Creuse) m'a tout récemment demandé de déconseiller aux travailleurs originaires du département de Constantine, de se rendre désormais dans sa commune où les effectifs

---

1. L. Henry, A. Girard et J. Leriche, *Les Algériens en France*, INED, Travaux et documents, Cahier n° 24, 1955, p. 55. L'idée que ce sont les besoins du marché français du travail qui commandent l'entrée des Algériens en France, même après la Seconde Guerre mondiale, est tellement ancrée dans les consciences qu'elle est reproduite comme une évidence, notamment par A. Zehraoui, « Les Algériens, de la migration à l'ins-

du personnel employé à la construction d'un barrage sont depuis longtemps au complet[1]. » Constat corroboré, au même moment, par le sous-préfet de Bougie qui avoue son impuissance à endiguer le départ des émigrants de son arrondissement : « D'une manière générale, nous avons beaucoup de main-d'œuvre disponible dans l'arrondissement, mais cette main-d'œuvre n'est pas de qualité [...]. Ces ouvriers en demi-chômage sont beaucoup tentés par la métropole, où ils espèrent trouver à s'employer. Nous enregistrons actuellement une augmentation des départs vers la France. L'active propagande que nous menons pour déconseiller ces départs ne porte plus ses fruits[2]. »

L'émigration permet d'abord d'alléger la pression démographique dans la colonie. Comme le gouverneur général le rappelle dans une lettre adressée au ministre du Travail, en août 1954, « l'utilisation dans les entreprises métropolitaines de la main-d'œuvre algérienne excédentaire constitue le seul palliatif aux problèmes posés par l'accroissement démographique de l'Algérie, dont les

---

tallation », in Ph. Dewitte, *Immigration et intégration, l'état des savoirs*, La Découverte, 1999, p. 121.

1. CAOM, 93/4127, préfecture de Constantine, le préfet Petitbon aux sous-préfets, 16 mai 1949, n° 3007 ST.

2. CAOM, 93/4127, sous-préfecture de Bougie, extrait d'un rapport, période du 8 août au 8 septembre 1949, n° 318/SAD.

ressources industrielles et agricoles sont insuffisantes eu égard à sa population [1] ».

Elle constitue, ensuite, une source de revenus indispensables à des centaines de milliers de familles. Selon des estimations proposées par Robert Delavignette, « un million et demi de personnes demeurées dans les douars vivent de l'argent gagné en Métropole. Sur les 60 milliards de salaires touchés dans la Métropole, 35 milliards ont été envoyés en mandats en Algérie [2] » Pour le département de Grande Kabylie, en 1958, on estime que « les transferts de salaires et d'allocations correspondantes représentent près de la moitié des moyens de vie ; la proportion est même de l'ordre des deux tiers dans l'arrondissement d'Azazga [3] ».

C'est, enfin, comme le souligne le gouverneur général Roger Léonard, un des éléments les plus positifs de la balance des comptes de l'Algérie [4], puisque ces transferts couvrent à eux seuls, bon an

1. Lettre du 24 août 1954, citée in « Procès-verbal des séances du groupe de travail pour l'étude de la situation économique et sociale en Algérie, annexe IV, p. 10.

2. R. Delavignette, « Situation économique et sociale de l'Algérie », Rapport présenté au nom de la Commission de l'économie de l'Union française, 1955.

3. Plan de Constantine, Rapport général, Alger, 1960, p. 62, n. 1.

4. R. Léonard, Exposé à la Société française de géographie économique, 16 février 1954, *Documents algériens*, hors série, 1954.

mal an, presque la moitié du déficit commercial de l'Algérie vis-à-vis de la métropole.

L'immigration coloniale en France ne repose donc pas sur les besoins en main-d'œuvre de la métropole, mais sur la nécessité impérieuse, pour des centaines de milliers de familles algériennes, de disposer des ressources indispensables à leur existence.

Si les préventions patronales finissent par tomber et si le CNPF, se rendant aux injonctions gouvernementales, plaide à son tour, au printemps 1953, pour que les entreprises françaises embauchent des travailleurs algériens, les Repentants auraient tort d'y voir la consécration tardive de leur thèse. Cette conversion ne s'explique nullement par les attentes des entreprises. Elle renvoie, explicitement, à une logique politique : garder l'Algérie française. Cette dimension est soulignée par un élu à l'Assemblée algérienne, Amar Illoul, en mars 1954 : « L'émigration demeurera pendant de longues années encore la seule possibilité de donner du travail, la seule *soupape de sécurité* [souligné dans le texte] possible[1]. » Autrement dit, si l'on veut maintenir, en Algérie, le calme social et politique, il faut permettre aux Algériens d'obtenir du travail en France. Un long article, publié en juin 1953 dans le *Bulletin du CNPF*, est sur ce point

1. *Assemblée algérienne, compte rendu in extenso des débats*, session de mars 1954.

particulièrement éclairant. Après avoir rappelé que « pour résoudre actuellement, au moins partiellement, un problème économique et social dont les incidences pourraient, s'il s'aggravait, mettre en cause l'avenir de l'Union franco-algérienne, le gouvernement ne cesse de faire appel au patronat », l'article se conclut ainsi : « par les moyens d'action dont ils disposent sur les deux plans, économique et social qui leur sont propres », les chefs d'entreprises détiennent « la meilleure carte politique de la France en Algérie », au moment où l'Indochine est en passe d'arracher son indépendance et au moment où, au Maroc et en Tunisie, l'influence croissante des mouvements nationalistes annonce la fin prochaine du régime des protectorats.

C'est donc cette carte politique que le CNPF invite ses adhérents à jouer pour éviter que la souveraineté française sur l'Algérie soit remise en cause. Bien des signes montrent que tous les patrons ne se sont pas rendus volontiers aux arguments du CNPF. Témoin la décision, prise en 1956, par la direction des Fonderies, Laminoirs et Ateliers de Biache-Saint-Vaast de « laisser tomber petit à petit [son] effectif nord-africain de 136 à 56 actuellement » et de se « limiter au strict minimum de 20 à 25 si possible ». L'objectif avoué de l'entreprise étant d'amenuiser au maximum ses effectifs nord-africains pour les remplacer par une main-d'œuvre régionale ou peut-être aussi italienne[1]. La libéralité avec laquelle les titres de séjours temporaires sont accordés, les nombreuses conventions bilatérales – une quarantaine entre 1957 et 1972 – qui dispensent de visas d'entrée les ressortissants étrangers se rendant en France pour une durée inférieure à trois mois, enfin les accords conclus dans le cadre de la CEE facilitent d'ailleurs l'arrivée et l'embauche de nombreux travailleurs clandestins venus d'Europe, en particulier du Portugal et d'Espagne.

Le chômage massif des Algériens en France inquiète les autorités françaises, pour les risques qu'il fait courir à l'ordre public et parce que les mandats que les immigrés expédient à leur famille sont considérés comme essentiels au maintien de la tranquillité dans la colonie. Aussi, l'État n'hésite pas à prolonger ses exhortations par de fortes pressions sur le patronat pour l'obliger à leur ouvrir les portes des bureaux d'embauche.

En décembre 1946, le ministère du Travail prescrit aux Services départementaux de la main-d'œuvre d'intervenir auprès des employeurs à la recherche de personnel, « pour les engager à embaucher selon leurs besoins des travailleurs

---

1. Archives du monde du travail, 2003017 EA 419/10, Fonderies, Laminoirs et Ateliers de Biache-Saint-Vaast à Chambre syndicale des industriels métallurgistes, Valenciennes, 6 octobre 1956.

nord-africains [1] ». Tout cela se révélant insuffisant, l'État adopte dès l'année suivante une réglementation contraignante afin d'obliger le patronat à recruter des Algériens. La philosophie d'un tel dispositif relève bien de la « préférence nationale », selon l'expression du moment, ou de la « discrimination positive », selon une terminologie plus contemporaine : le but est explicitement de privilégier l'embauche des Algériens au préjudice de la main-d'œuvre étrangère. Le 14 février 1947, une circulaire du ministère du Travail astreint certaines industries à utiliser des Algériens dans des proportions variant de 20 à 75 % de leurs effectifs étrangers. Le 4 janvier 1949, un nouveau texte, confirmé par la suite, instaure des mesures de contrôle pour vérifier l'exécution des directives ministérielles. Un arrêté du 26 juillet 1949 complète ce dispositif en n'autorisant l'emploi de travailleurs étrangers qu'à défaut de main-d'œuvre nationale – algérienne comprise. Une circulaire du 21 août 1953 invite les inspecteurs départementaux de la main-d'œuvre à veiller « à ce que toute offre d'emploi, toute demande de carte de travail (régularisation de situation et renouvellement) intéressant un travailleur étranger soient appréciées, pour les emplois du secteur excédentaire, en

---

1. AMDT, 2003017 EA 419/11, Comité départemental d'assistance à la main-d'œuvre nord-africaine, UIMM, circulaire aux adhérents, 10 décembre 1946.

fonction de l'ensemble des travailleurs français disponibles, métropolitains et algériens [1] ».

L'efficacité de cet arsenal réglementaire ne fait guère de doute : « L'évolution de l'emploi de la main-d'œuvre nord-africaine a été favorable ces dernières années. Nous passons en effet de 89 000 à 168 000 Nord-Africains recensés au travail entre 1948 et 1955. Si cette augmentation est essentiellement due à l'expansion économique que connaît la France depuis quelques années, il convient cependant de préciser que ce résultat a été obtenu parce que, jouissant depuis 1947 de la citoyenneté française, les travailleurs algériens font partie intégrante de la main-d'œuvre nationale *et bénéficient à ce titre d'une priorité à l'embauche et d'une protection administrative vis-à-vis de la main-d'œuvre étrangère* [2]. »

C'est donc dans une large mesure parce qu'ils ne peuvent obtenir la main-d'œuvre européenne qu'ils souhaitent recruter que les patrons se résignent à embaucher des Algériens ! En septembre 1951, la direction de la Régie Renault confirme aux délégués du personnel du Syndicat indépendant qu'il « existe une priorité relative puisque actuellement, la proportion d'embauche

---

1. Circulaire MO 2/53, 21 août 1953, ministère du Travail, *Textes officiels*, n° 2510.

2. CAOM, 8 X387, J.-J. Rager, *L'Émigration en France des musulmans d'Algérie*, 1955, p. 104, nous soulignons.

est d'environ un ouvrier étranger pour 25 ou 30 ouvriers nord-africains[1] ».

En 1955, les sidérurgistes lorrains dressent le même constat, non sans amertume : « 18 usines de Moselle et de Meurthe-et-Moselle – soit près de la totalité des usines sidérurgiques des deux départements – avaient donné leur avis : il en ressortait une affirmation quasi unanime : les Nord-Africains ont été embauchés parce qu'il est impossible de trouver des métropolitains pour les emplois qu'ils tiennent habituellement et, d'autre part, de recruter des étrangers que les services de la main-d'œuvre ont volontairement limités[2]. »

Il ne s'agit pas de nier l'exploitation dont ces travailleurs font l'objet, pas très différente, au demeurant, de celle que subissent leurs camarades de travail, français ou étrangers, à niveau hiérarchique équivalent. Ni de taire les conditions d'existence pénibles que beaucoup doivent supporter : là encore, ils partagent le sort de nombreux Français et étrangers. Néanmoins, pendant la période coloniale, la main-d'œuvre algérienne a bien été l'objet d'un traitement particulier de la part des pouvoirs

1. L. Pitti, *Ouvriers algériens à Boulogne-Billancourt*, p. 120.
2. Réponses à une enquête menée par les chambres syndicales de la sidérurgie de Metz et Nancy, cité in M.-Cl. Henneresse, *Le Patronat et la politique française d'immigration, 1945-1975*, thèse de doctorat en sciences politiques, IEP de Paris, 1978, p. 106.

publics. Mais, contrairement à bien des idées reçues, ce traitement ne s'est pas manifesté uniquement par des mesures de contrôle et de répression, même si cet aspect s'est considérablement renforcé pendant la guerre d'Algérie. Les Algériens venus en France ont aussi bénéficié d'un traitement préférentiel, d'une politique de discrimination positive.

Le lecteur de *La République coloniale*, dont les auteurs prétendent, en toute modestie, vouloir « transformer les interrogations, les analyses, les études sur la période coloniale et post-coloniale, dispersées jusque-là, en un mouvement, une "école" de recherche [1] », ne saura rien de cette autre dimension de l'histoire des politiques d'immigration en France.

Il n'en saura guère plus sur le fait que cette politique « discriminatoire » s'est prolongée après 1962. Car l'article 7 de la Déclaration de principes relative à la coopération économique et financière, annexée aux accords d'Évian, dispose que « les ressortissants algériens résidant en France et notamment les travailleurs auront les mêmes droits que les nationaux français, à l'exception des droits politiques ». Le nombre d'Algériens installés en France doublera en dix ans, pour atteindre 720 000 en 1972. Cette liberté de circulation et d'installation, cet accès libre au marché français du travail, cette égalité des droits

1. N. Bancel, P. Blanchard et F. Vergès, *La République coloniale*, p. 7.

sont-ils l'aboutissement des efforts d'un patronat avide de perpétuer un réservoir de main-d'œuvre bon marché dont l'existence serait menacée par l'indépendance de l'Algérie ? Rien dans les archives ne permet de justifier cette hypothèse. Est-ce, à l'issue d'un marchandage, la contrepartie des garanties accordées aux Français désireux de rester en Algérie après l'indépendance ? Mais alors, comment expliquer que, dès 1960, ces mêmes libertés de circulation et d'installation sont accordées aux ressortissants des États d'Afrique noire, anciennes possessions françaises, où il n'existait pas de peuplement français à protéger ? Pourquoi, d'autre part, ce régime privilégié s'est-il perpétué alors que le gouvernement algérien, à peine installé, reniait les engagements souscrits à Évian ?

Enfin, pourquoi taire que cette France accusée de racisme à tort et à travers s'est montrée beaucoup plus accueillante à l'égard de ses anciennes populations colonisées que la Belgique ou que la Grande-Bretagne ? Toutes deux ayant « soumis à l'obligation du visa les originaires de leurs anciennes colonies [1] » dès l'accession à l'indépendance de celles-ci.

L'explication de cet article 7 est donc à chercher plutôt du côté des autorités algériennes. Les dirigeants du FLN, se posant en héritiers de l'administration coloniale qu'ils viennent de combattre avec succès, n'admettent pas que les frontières françaises

---

1. V. Viet, *La France immigrée*, p. 219, n. 1.

se ferment à leurs compatriotes et que ceux-ci relèvent, désormais, du régime commun aux travailleurs étrangers. En effet, lorsque, le 10 avril 1964, Paris décide de limiter à 12 000 le nombre de travailleurs algériens autorisés à s'installer chaque année en France, Alger n'a de cesse d'obtenir le rétablissement de l'exception algérienne. Lors des discussions bilatérales de mars-avril 1966, le ministre algérien des Affaires étrangères, Abdelaziz Bouteflika, plaide à nouveau pour l'accroissement de l'émigration algérienne en France. Il réclame, « pour résorber ses trois millions et demi de chômeurs, l'entrée d'un contingent annuel de 50 000 ouvriers de 1967 à 1975 [1] », voire le retour à la liberté totale de circulation. Finalement, en décembre 1968, le gouvernement algérien obtient que ce contingent soit relevé à 35 000 pour les années 1969 et 1970. Les deux années suivantes, il est abaissé à 25 000, à la demande des autorités françaises [2].

Dans l'impossibilité de répondre aux promesses faites à leur peuple pendant la guerre d'indépendance, les caciques du FLN en ont été réduits à

---

1. Ch.-R. Ageron, « La politique française de coopération avec l'Algérie, des accords d'Évian à la retraite du général de Gaulle (mars 1962-avril 1969) », in *De Gaulle en son siècle*, communication reproduite par M. Vaïsse, *Vers la paix en Algérie*, Bruylant, 2003, p. 498.

2. A. Spire, *Étrangers à la carte, L'administration de l'immigration en France (1945-1975)*, Grasset, 2005, p. 241.

se tourner vers l'ancienne puissance coloniale pour pallier les faillites de leur politique. Tragique ironie du destin, c'est à nouveau par l'immigration en France du trop-plein de main-d'œuvre locale que les autorités algériennes, comme la veille les autorités coloniales, ont espéré conjurer les crises qui minaient la société algérienne. Hélas pour le peuple algérien, avec le même succès !

En septembre 1973, le revirement algérien, qui suspend unilatéralement l'émigration à la suite d'incidents racistes dont des Algériens ont été victimes à Marseille, est loin de plonger le patronat français dans le désespoir. Ce n'est pas de ce côté qu'il faut chercher les origines d'une crise qui sonne le glas des Trente Glorieuses. On peut, en revanche, s'interroger sur ses conséquences pour la population algérienne.

12

Surveiller et punir ?

Au *lamento* d'une main-d'œuvre coloniale exploi-
tée sans vergogne, les Repentants ajoutent un autre
couplet : celui d'une population en butte à une
surveillance policière sourcilleuse, tracassière,
comme si, en France même, l'ordre colonial conti-
nuait de peser sur elle. Toutes les mesures prises à
son endroit se résumeraient en un mot : contrôle.
C'est l'unique versant du rôle de l'État que les
Repentants retiennent, en réduisant l'encadrement
de cette main-d'œuvre à son seul aspect répressif,
à quoi tout est ramené, mêmes les marques de respect ou d'égard que la République, au fil des ans,
a manifestées aux populations, aux soldats et aux
travailleurs coloniaux. Tout y passe. La Grande
Mosquée de Paris ? Contrôle religieux. Les services de la rue Lecomte ? Contrôle administratif.
L'hôpital franco-musulman de Bobigny ? Contrôle
sanitaire.

Il s'agit, bien entendu, d'établir une filiation
directe entre le contrôle auquel les populations

immigrées d'origine coloniale étaient soumises et celui dont seraient victimes, aujourd'hui, ceux que l'on présente comme les indigènes de la République. Voilà pourquoi une partie des médias regardent ces fariboles avec l'aveuglement des amoureux et les élèvent au rang de grandes découvertes historiques, voire de révélations sur un passé honteux trop longtemps dissimulé aux yeux de l'opinion publique.

Or, à cette dimension répressive, effective, mais qui vise aussi à combattre une criminalité ou une délinquance bien réelles, se mêle une autre volonté, qu'on peut qualifier de « paternaliste », si l'on veut à toute force la décrier. Mais, comme le paternalisme patronal à l'égard des ouvriers, au XIXᵉ siècle, le paternalisme colonial, qui emprunte beaucoup au premier, offre quelques bénéfices à ceux qui en sont les « victimes ». C'est donc une histoire complexe que celle du contrôle des travailleurs coloniaux en France, une histoire tout en nuances que les Repentants peignent en noir et blanc.

D'abord laissée à l'initiative des employeurs ou à celle des travailleurs eux-mêmes [1], la mobilisation de

1. Une circulaire du gouvernement général de l'Algérie du 28 janvier 1905 supprime le permis de voyage, jusque-là nécessaire aux Algériens désireux de se rendre en métropole, pour ceux disposant d'un contrat de travail signé par un employeur métropolitain. Le décret du 18 juin 1913, qui supprime le permis de circulation, exigé pour tout Algérien désirant se déplacer hors de sa commune et des communes limitrophes, établit la liberté de circulation entre l'Algérie et la France.

la main-d'œuvre coloniale est prise en charge, au cours de la Première Guerre mondiale, par les pouvoirs publics. En 1916, un organisme spécial, le Service des travailleurs coloniaux (STCO), est créé au ministère de la Guerre, afin de les recruter et de les répartir entre les différentes entreprises, d'en assurer le contrôle et la surveillance. Pendant leur séjour à l'usine ou au chantier, ces travailleurs obéissent au règlement de l'établissement dont ils relèvent, comme l'ensemble des salariés d'ailleurs – la CGT y veille. Logés collectivement, ils sont soumis, en dehors des heures de travail, à une surveillance étroite, « assurée par les militaires ou les agents civils qui formaient les cadres du groupement [1] ».

Mais la responsabilité du chef du groupement ne se limite pas à faire régner la discipline. Il protège aussi les travailleurs contre les abus éventuels des patrons ; il s'assure que les salaires sont régulièrement payés ; il veille à ce que les employeurs remplissent les obligations de leurs contrats avec le ministère de la Guerre, notamment en ce qui concerne la fourniture du logement, du couchage et de la nourriture. Des contrôleurs de la main-d'œuvre parcourent les groupements pour vérifier les conditions d'existence des travailleurs coloniaux et entretenir leur moral. Ils portent une attention toute particulière au respect des convictions religieuses de chacun. « C'est ainsi que l'on solennisait

---

1. B. Nogaro et L. Weil, *L'Introduction de la main-d'œuvre...*, p. 21.

les fêtes religieuses [...] la fête du Têt pour les Indo-Chinois, le Rhamadan, la fête du Mouloud, celle de l'Aït-Kebir pour les Nord-Africains, en leur donnant des repos, en leur préparant leurs mets nationaux[1]. » Sous l'impulsion des contrôleurs, une mosquée est ouverte dans la région parisienne et un imam visite les groupements nord-africains de cette région. Tout cela contredit la « crainte permanente des autorités coloniales face à l'islam[2] » imaginée par les auteurs de *Culture coloniale*, pour distiller l'idée d'une France islamophobe et qui le resterait aujourd'hui.

Sitôt la paix revenue, le STCO est dissous, alors que les services de contrôle des étrangers, eux, continuent d'assurer leur mission jusqu'en 1934[3]. Et c'est un préfet de Paris totalement démuni qui avoue à son ministre son incapacité à fournir des informations détaillées sur la situation des Algériens dans son département, car, contrairement aux étrangers, les Algériens ne sont pas astreints à déclarer leur résidence, ni à faire connaître leur arrivée ou leur départ[4].

---

1. *Ibid.*, p. 23-24.

2. N. Bancel et P. Blanchard, « Civiliser : l'invention de l'indigène », in *Culture coloniale*, p. 153.

3. Il s'agit du Service de la main-d'œuvre étrangère (SMOE) et du Service de la main-d'œuvre agricole (SMOA), également créés en 1916.

4. CAOM, 9 H / 112. Réponse à l'enquête prescrite en juillet 1923 par le ministre de l'Intérieur sur « la situation des indigènes originaires d'Algérie, résidant dans la métropole ».

On a vu plus haut que, à partir de 1925, la liberté de circulation entre l'Algérie et la France connaît certaines restrictions. Celles-ci n'empêchent pas l'immigration algérienne de grossir, d'autant que, à la différence des étrangers, les Algériens ne sont plus astreints, depuis 1926, à produire un contrat de travail pour traverser la Méditerranée. L'urgence d'encadrer cette population paraît alors d'autant plus grande que l'on craint qu'elle soit sensible à la propagande du parti communiste.

C'est dans ce contexte qu'intervient la création, en mars 1925, à l'initiative du Conseil de Paris, élus socialistes compris, d'un Bureau des affaires indigènes (BAI), dont les services sont installés rue Lecomte. Quelques semaines plus tard, le préfet de police organise une brigade spéciale chargée de la surveillance des Nord-Africains du département de la Seine logée dans les mêmes locaux. La rue Lecomte abrite donc à la fois des services sociaux et des services de police, les premiers relevant du préfet de la Seine, les seconds du préfet de police. Assistance et surveillance sont étroitement mêlées, sans toutefois se confondre.

Pour améliorer le logement des travailleurs algériens, le BAI ouvre des foyers à Paris – rue Lecomte même –, à Colombes, Gennevilliers et Nanterre. Deux dispensaires et la construction de l'hôpital franco-musulman sont également à porter à son actif. À partir du 12 juin 1936, un cimetière musulman, associé à l'hôpital, complète l'ensemble. Une section de placement aide ceux qui en ont besoin à trouver du travail : entre 1926 et 1930, 15 130 chômeurs bénéficient de son concours. Progressivement, ses activités s'élargissent : assistance juridique aux accidentés du travail pour faire valoir leurs droits et obtenir le versement des indemnités ou des rentes auxquelles ils peuvent prétendre (1 534 dossiers traités) ; démarches en vue du versement des primes de natalité et indemnités pour charges de famille (9 696 dossiers) [1].

On peut estimer insuffisante l'ampleur de l'action entreprise, en particulier en matière d'habitat. On peut également trouver, dans cette sollicitude des autorités parisiennes à l'égard des Nord-Africains du département de la Seine, autre chose que l'expression de sentiments philanthropiques. Mais il est impossible de nier l'intérêt qu'elle a représenté pour ses bénéficiaires, en particulier pour les milliers de patients pris en charge par les dispensaires ou par l'hôpital franco-musulman, où un personnel qui connaît leur langue les accueille. Disposant de 320 lits exclusivement réservés aux Nord-Africains jusqu'en 1945, cet hôpital connaît d'emblée une affluence considérable. Peut-on, sérieusement, soutenir qu'il servait *exclusivement* à encadrer les Nord-Africains, même s'il ne s'agit pas de nier cet aspect ?

---

1. N. Gomar, *L'Émigration algérienne*, thèse de droit, Paris, 1931, p. 126-128.

D'ailleurs, trois ans après son inauguration, certaines voix redoutent déjà que le rassemblement dans l'hôpital « d'un groupe compact de musulmans » favorise le développement de menées politiques. Crainte non dépourvue de fondement puisqu'une note du ministère de l'Intérieur, destinée au directeur des Affaires générales de l'Algérie, en date du 16 juin 1948, signale que « l'état d'esprit des musulmans hospitalisés s'est dégradé et que depuis quelque temps règne une certaine effervescence qui a pris naissance après les visites que Messali Hadj a faites en septembre 1947. Caractère politique qui a pour but d'entretenir parmi les malades la psychose de l'indépendance totale de l'Algérie. Cette effervescence est dirigée par les nommés Ben Sadok et Raach Ali, deux malades qui organisent tous les dix jours des réunions politiques dans les salles des fêtes de l'hôpital. Cent cinquante à deux cents malades y assistent » [1].

Même l'Amicale des malades et anciens malades nord-africains, créée le 25 mars 1947 officiellement dans un but d'entraide et de solidarité, et dont le siège est situé dans l'enceinte de l'hôpital, apparaît aux yeux des fonctionnaires de police comme un instrument de propagande nationaliste

---

1. AN F1a 5060, lettre du ministre de l'Intérieur au préfet de la Seine, citée par B. Houdy, *Histoire de l'hôpital franco-musulman de Bobigny (1935-1961), Sources et historiographie*, mémoire de master 2 d'histoire contemporaine, université Paris VIII, 2006.

qui conduit le ministre de l'Intérieur à sommer le préfet de la Seine, le 3 mars 1947, d'intervenir pour faire cesser cette activité politique. C'est dire les failles d'un système de surveillance qu'on voudrait présenter comme totalitaire.

On croit fréquemment que la réalité des pratiques administratives est tout entière contenue dans les textes, quand tout dépend des conditions matérielles qui président à leur fonctionnement. Pour remplir sa mission, la fameuse brigade de la rue Lecomte dispose, en tout et pour tout, de 37 fonctionnaires en 1933. Trente-sept fonctionnaires pour fliquer, jour et nuit, plus de 60 000 Nord-Africains dispersés entre Paris et une quinzaine de communes de la banlieue nord et est du département de la Seine... Belle efficacité administrative ! Sans parler des tâches innombrables qui pèsent sur leurs si peu nombreuses épaules : établissement de fiches d'identification, enquêtes judiciaires, arrestations, enquêtes administratives, enquête sur le chômage, surveillance des garnis et des débits de boisson, fermeture des établissements en infraction, traduction d'actes administratifs, établissement de procuration, affaires militaires, interventions diverses (litiges entre personnes, pétitions et réclamations diverses, recherches dans l'intérêt des familles)...

La construction à Paris de la Grande Mosquée, inaugurée en 1926, ne relève pas seulement d'une volonté de contrôle du culte islamique, que les autorités françaises perçoivent alors comme « une survivance traditionnelle ne véhiculant aucune dangerosité[1] ». Elle est aussi l'expression d'un courant « indigénophile » dont on trouve de multiples traces[2] par ailleurs : respect par l'armée des prescriptions coraniques en matière d'alimentation, des rites funéraires musulmans ; acquisition sur fonds publics, à l'initiative de Clemenceau, en 1917, de deux hôtelleries à La Mecque et à Médine, destinées à accueillir les pèlerins des colonies françaises. Certains patrons voient même d'un bon œil l'observance par leurs employés musulmans de leurs obligations religieuses. Ainsi la Compagnie des mines d'Auby-les-Douai (département du Nord) met-elle un lieu de prière à disposition de ses ouvriers musulmans, dès avant la Seconde Guerre mondiale. Aux mines aurifères de Salsigne, dans l'Aude, qui emploient une moyenne de 120 Nord-Africains sur 1 400 mineurs, « direction de l'usine, ouvriers européens, contrôleur social nord-africain » se félicitent du climat moral « dominé par la présence d'éléments très religieux, un membre

1. M. Renard, « Observance religieuse et sentiment politique chez les Nord-Africains en métropole, 1952-1958 », in J.-Ch. Jauffret (dir.), *Des hommes et des femmes en guerre d'Algérie*, Autrement, 2003, p. 261-279.
2. Sur cette question, se reporter aux travaux novateurs de Michel Renard, notamment « Gratitude, contrôle, accompagnement ; le traitement du religieux islamique en métropole (1914-1950) », *Bulletin de l'IHTP*, n° 83, premier semestre 2004, p. 54-69.

d'une famille maraboutique et deux "thalebs" (érudits en science coranique) » et de l'« heureuse influence purement morale et dégagée de toute tendance politique » de ce groupe qui exerce « un réel ascendant sur l'ensemble de leurs coreligionnaires »[1].

Après 1945, le contrôle de l'immigration algérienne est l'enjeu d'une lutte entre l'administration française et le parti nationaliste. Dans ce contexte, la surveillance policière et la répression seules ne sauraient suffire. C'est pourquoi, parallèlement, mais de manière autonome, une politique sociale ambitieuse est engagée sous l'autorité du ministère du Travail. Il s'agit de donner corps à l'intégration de ceux que l'on appelle désormais les Français musulmans d'Algérie, citoyens de plein droit depuis l'ordonnance du 7 mars 1944. Comment « intégrer, dans une société métropolitaine encore asphyxiée par les restrictions, une population qui comprenait depuis peu des femmes, des enfants, des malades et des indigents » ? Comment « rapprocher les faits du droit et des principes[2] » ?

Pour y parvenir, sans créer d'organismes spécifiques que la qualité de citoyen français reconnue aux FMA interdit, chaque ministère s'attache à développer une action sociale spécifique en direction des Algériens de métropole, « dans le but de

1. CAOM 29 X/2 (18) ENA, Mémoire de stage, Alexandre Roche, janvier 1951.

2. V. Viet, *Histoire des Français venus d'ailleurs*, p. 181.

résorber l'écart entre l'égalité proclamée des droits et l'inégalité flagrante des conditions de vie. Ce qu'il est convenu d'appeler aujourd'hui une discrimination positive était ainsi légitimé par une conception désormais active et même militante de l'assimilation [1] ». Malheureusement, en dehors des actions menées par le ministère du Travail, étudiées par Vincent Viet, et celle entreprise en matière de logement, notamment dans le cadre de la construction des foyers SONACOTRAL [2] ou de cités de transit, cette action fait encore l'objet de trop rares travaux.

Jusqu'aux années 1956-1958, la politique destinée à l'immigration coloniale relève donc, tout autant, voire plus, de l'action sociale que de l'encadrement policier. C'est seulement à partir de ce moment que le policier l'emporte sur l'assistante sociale, si je puis dire, la guerre d'Algérie conduisant à renforcer un maillage policier considéré comme beaucoup trop lâche pour permettre le contrôle effectif de la communauté algérienne. L'action sociale menée en sa faveur ne disparaît pas pour autant. Elle reçoit même une impulsion nouvelle avec la création du Fonds d'action sociale pour les travailleurs musulmans d'Algérie en métropole et pour leur famille (FAS), créé par l'ordonnance du 29 décembre 1958, dont la vocation

---

1. V. Viet, *Histoire des Français venus d'ailleurs*, p. 181.
2. Société nationale de construction de logements pour les travailleurs algériens en métropole.

principale est d'arracher les Algériens aux bidon-villes ou aux garnis. Si, à la fin de la période colo-niale, l'objectif est loin d'être atteint, en tout cas, pour Vincent Viet, « les opérations menées dans des conditions peu favorables (événements poli-tiques, rareté et coût des terrains à bâtir) sont loin d'avoir été négligeables [1] ».

À nouveau, il est loisible d'estimer que tout cela est bien peu en regard des difficultés à résoudre. L'indépendance de l'Algérie ouvre d'ailleurs au sein de l'administration française un débat sur l'avenir de cette action sociale qui en éclaire la portée. Le directeur de cabinet du ministre du Travail craint que son maintien conduise les gou-vernements des autres pays d'émigration à exiger des avantages du même ordre, aussi se prononce-t-il pour sa suppression. C'est dire que le dispositif d'aide sociale, élaboré au profit des Algériens pen-dant la période coloniale, offre suffisamment d'in-térêt pour que des gouvernements étrangers estiment justifié que leurs ressortissants en profi-tent à leur tour. Finalement, le ministre tranche en faveur de cette solution. Après la SONACO-TRAL, devenue SONACOTRA (Société natio-nale de construction pour les travailleurs) en juillet

---

1. V. Viet, *Histoire des Français venus d'ailleurs*, p. 188. L'auteur présente les autres actions qui complètent cette poli-tique. Ni les Italiens, ni les Belges, ni les Polonais, ni les Espa-gnols, ni même les Marocains n'ont bénéficié d'un soutien d'une telle ampleur.

1963, le FAS, rebaptisé Fonds d'action sociale pour les travailleurs étrangers, perd à son tour sa spécificité algérienne en avril 1964, en élargissant ses interventions à tous les travailleurs étrangers. Autrement dit, le processus qui amène à dépouiller l'immigration algérienne des avantages que lui conférait, jusqu'en 1962, la nationalité française est désormais à l'œuvre.

13

À mort les Christos !

L'image d'une immigration spécialement discriminée, parce qu'elle est d'origine coloniale et pour une large part de confession musulmane, occupe une place centrale dans la mythologie de la Repentance car elle sert à justifier le continuum entre la période coloniale et aujourd'hui. Ce double stigmate l'opposerait aux travailleurs venus d'Europe, lesquels auraient pu aisément se fondre dans la société française, s'assimiler, étant blancs et chrétiens. Dans un ouvrage paru en 2005, Dominique Vidal, rédacteur en chef adjoint du *Monde diplomatique*, invoquant Pascal Blanchard, ne dit rien d'autre : « Pas un immigré colonial ne peut rêver d'intégration au cours de ces années où la colonisation est le système dominant. En revanche, nombre d'immigrés européens pensent y parvenir [1]. »

---

1. D. Vidal et K. Bourtel, *Le Mal-Être arabe, Enfants de la colonisation*, Agone, 2005, p. 82.

Cette affirmation péremptoire témoigne d'une singulière ignorance des conditions dans lesquelles l'intégration dans la population française des « Cloutjes » (Belges), des « Christos », « Ritals » et autres « Polaks » s'est opérée. Elle témoigne aussi du refus de voir que l'intégration des Arabes et des Noirs est en marche. La nier ou en minimiser l'importance conduit à freiner cette évolution plus qu'à l'accélérer, car cela persuade ces populations que la République s'est définitivement fermée à elles et qu'il leur faut donc chercher ailleurs les voies de leur réussite.

Invoquer l'assimilation aisée des immigrés européens – pour l'opposer aux échecs subis par les « indigènes » des colonies – revient à évoquer un passé mythique, à procéder à une reconstruction imaginaire. Cette fiction repose, d'abord, sur une absurdité méthodologique car, pour témoigner de cette assimilation réussie, on invoque l'exemple de ceux qui, justement, ont réussi à s'intégrer. Mais la masse de ceux qui n'y sont pas parvenus est escamotée. Or, si l'on peut estimer « à 3 500 000 l'effectif des migrants transalpins qui ont pris, entre 1870 et 1940, le chemin de la France [...] le nombre de ceux qui ont fait souche ne dépasse guère 1 200 000 ou 1 300 000 personnes [1] ». Autrement dit, malgré tous les facteurs de proximité entre les deux peuples latins, que l'on

---

1. P. Milza, *Voyage en Ritalie*, rééd. Petite Bibliothèque Payot, 2004, p. 323.

met en avant pour expliquer la facilité avec laquelle les migrants italiens se seraient intégrés dans la société française, près des deux tiers ont été ou se sont sentis rejetés. Les Polonais n'ont pas connu un sort très différent : pour 466 000 entrées enregistrées entre 1920 et 1939, les statistiques françaises recensent 42 % de rapatriements. Il s'en faut donc de beaucoup que tous les immigrés européens se soient fondus dans le creuset français.

Et pour ceux qui y sont parvenus, le chemin n'a pas été aussi facile ni aussi rapide qu'on veut bien le dire. Il suffit de mettre ses pas dans ceux de Pierre Milza, et de le suivre dans son beau *Voyage en Ritalie*, pour se convaincre des obstacles que les Italiens ont dû surmonter, des préjugés qu'il leur a fallu renverser, de la ténacité et de la patience dont ils ont dû faire preuve. À la lecture de ce livre, on mesure l'ampleur des manifestations xéno-phobes qui, trois quart de siècle durant, accompa-gnent leur présence en France, et qui culminent durant les périodes de dépression économique : celle qui marque la fin du XIXe siècle, dont les Cloutjes et les Ritals sont les principales victimes ; celles des années 1930, au cours desquelles tous les étrangers sans distinction sont perçus comme des concurrents et des indésirables. Michelle Perrot, qui a relevé 89 incidents xénophobes entre 1867 et 1893[1], s'est dite frappée « du pouvoir mobilisateur

---

1. M. Perrot, *Les Ouvriers en grève (1870-1890)*, Mouton, 1974, p. 170.

de ces manifestations [qui] se transforment aisément en mouvement populaire de milliers de personnes[1] ». Les humiliations subies par les migrants européens annoncent celles infligées au gone du Chaâba.

Le rejet se manifeste d'abord au sein du monde du travail, où l'étranger est perçu comme un concurrent d'autant plus dangereux que, se contentant de peu, il serait moins exigeant sur le salaire et les conditions de travail.

À Aigues-Mortes, en août 1893, se joue un drame sans équivalent dans l'histoire contemporaine de l'immigration. Près de la petite cité du Gard, les Salins du Midi exploitent des marais salants. L'été est la saison des gros travaux. Pour y faire face, la Compagnie embauche entre 900 et 1 200 journaliers. Les habitants du pays sont ulcérés par l'arrivée massive des Italiens, qui vont accaparer leurs emplois et faire baisser les salaires. Le climat est lourd. Les incidents se multiplient.

Dans l'après-midi du 16, un premier heurt sérieux se produit. Selon les rapports de la gendarmerie consultés par Pierre Milza, une cinquantaine d'ouvriers italiens auraient agressé, à l'heure de la sieste, une vingtaine de leurs camarades français, qui doivent fuir en emportant avec eux cinq blessés

---

1. M. Perrot, « Les rapports entre ouvriers français et étrangers (1871-1893) », *Bulletin de la Société d'histoire moderne*, 1960.

légers. À Aigues-Mortes, la rumeur court qu'il y a eu des morts et une expédition punitive est organisée. Toute la population masculine de la ville s'attroupe devant la mairie au cri de : « À mort les Christos ! » Armée de fourches et de manches de pioche, la foule se répand dans les rues et fait une chasse aux Italiens dans ce qu'on pourrait appeler une véritable « ritalonnade ». Malgré l'arrivée de gendarmes à cheval, dépêchés de Nîmes, l'émeute reprend le lendemain. Trois cents personnes, armées de gourdins, se rendent dans les marais et se lancent à l'assaut d'un baraquement où se sont réfugiés 80 Transalpins. Les gendarmes parviennent à dégager les Italiens et à leur faire prendre la route d'Aigues-Mortes pour les évacuer par le train. En chemin, le cortège se heurte à une colonne venue de la ville, forte de cinq à six cents hommes armés de matraques et de fusils.

Le rapport du procureur de la République sur la violence qui se déchaîne alors est éloquent : « Au moment où le capitaine croyait mettre en sûreté à Aigues-Mortes ceux qu'il protégeait, la population de la ville, échauffée par le vin et la colère, se porta à sa rencontre et attaqua les Italiens par-devant, tandis que la bande qui les suivait les frappait par-derrière. Malgré les pierres qui pleuvaient, ce lamentable convoi peut enfin pénétrer dans la ville, mais à ce moment les actes de barbarie redoublent. À chaque instant des Italiens tombent sans défense sur le sol, des forcenés les frappent à coups de

bâtons et les laissent sanglants et inanimés [...].
Pour échapper aux coups, ces malheureux se couchent sur le sol les uns au dessous des autres, les gendarmes leur font un rempart de leurs corps, mais les pierres volent et le sang ruisselle[1]. » Ailleurs, place Saint-Louis, deux Italiens sont reconnus, frappés à coups de bâton. « L'un est tué, l'autre grièvement blessé. » Les 18 et 19 août, la chasse à l'homme se poursuit dans les marais. Au total, le bilan officiel fait état de huit morts et de dizaines de blessés, dont certains très gravement.

Ce pogrom n'a rien d'un événement isolé. D'autres se sont produits auparavant. À Grenoble, en 1862, les ouvriers déclenchent une grève pour s'opposer à l'embauche de Piémontais. Sur le chantier du chemin de fer Alès-Orange, en 1882, les terrassiers chassent les Italiens à coups de pioche. En 1892, à Drocourt, dans le Pas-de-Calais, la population manifeste violemment contre la présence des Belges, qui représentent 75 % de la main-d'œuvre des mines locales. L'ampleur du mouvement est telle qu'ils sont obligés de regagner leur pays dans la précipitation, abandonnant leur mobilier sur place. Jusqu'à la Première Guerre mondiale, « le nord de la France est le théâtre de bien d'autres scènes du même genre[2] ». En juin

---

1. Cité par P. Milza, *Voyage en Ritalie*, p. 136.
2. G. Noiriel, *Le Creuset français, Histoire de l'immigration, XIXe-XXe siècles*, Le Seuil, rééd. 2006, p. 258.

1897, les habitants de Barcarin, dont beaucoup sont employés à l'usine Solvay, poursuivent des heures durant les Italiens, frappent à coups de gourdin et de pierres ceux qu'ils attrapent et en jettent quelques-uns dans le Rhône. En avril 1900, à Arles même, des batailles rangées opposent ouvriers français et italiens au cri de : « À la porte les Italiens ! Faisons comme à Aigues-Mortes ! »

Jamais aucune immigration « coloniale » n'a été la cible de tels débordements de violence populaire.

Les déchaînements xénophobes ne se limitent pas seulement à des rivalités de travail. Ils se produisent aussi au nom de considérations politiques, notamment dans les moments de fortes tensions nationalistes. Le 17 juin 1881, les troupes coloniales défilent à Marseille, de retour de Tunisie où elles ont imposé le Protectorat français. Quelques coups de sifflet se mêlent aux acclamations d'une foule en liesse. Immédiatement, les Italiens sont mis en cause. Le Club nazionale italiano, dont le siège est rue de la République, n'a-t-il pas jugé inutile – tout comme le consulat italien – d'arborer un drapeau, alors que tous les bâtiments alentour sont pavoisés ? Dès la fin du défilé, une dizaine de milliers de personnes manifestent devant le club leurs sentiments anti-italiens. Une première fois, la gendarmerie parvient à ramener le calme. Mais le lendemain, des bandes de nervis – jeunes voyous armés d'un nerf de bœuf – se lancent dans une chasse au faciès. Dans la soirée du 19, une bataille rangée oppose un groupe d'Italiens à de jeunes Marseillais. Un jeune Italien est bastonné à mort, un Marseillais est grièvement blessé d'un coup de couteau. Les incidents se poursuivent toute la journée du lendemain et seule l'intervention énergique de l'armée, qui dégage la Canebière, baïonnette au canon, permet d'éviter un bain de sang. Le bilan de ces Vêpres marseillaises est lourd : trois morts et quinze blessés parmi les ouvriers italiens.

Le 24 juin 1894, l'assassinat à Lyon du président de la République, Sadi Carnot, par un anarchiste italien, Sante Caserio, déclenche de nouveaux troubles xénophobes. Deux jours durant, on s'attaque sans discernement à tout ce qui est, ou paraît être, italien. Les boutiques et les cafés sont mis à sac et incendiés tandis que les rues de la ville sont le théâtre d'une chasse à l'homme. Selon le *Courrier de Lyon*, « tout flambe à la Guillotière et aux Brotteaux ; pas une rue où ne s'élève un immense brasier où brûlent soit les marchandises des négociants, soit les ménages de pauvres diables innocents du crime commis [1] ».

Au cours des années 1930, la dépression économique d'abord, puis l'afflux des réfugiés consécutif à l'accession de Hitler au pouvoir, en janvier 1933, à la guerre civile espagnole et aux victoires de la junte militaire, à partir de 1936, conduisent à de

---

1. Cité par P. Milza, *Voyage en Ritalie*, p. 139.

nouvelles vagues de protestations xénophobes. Mais, plus surprenant encore, de nombreux témoignages attestent qu'au cœur des années 1950, en période de pleine expansion économique, le rejet des étrangers est encore fréquent. Pour beaucoup, les affronts subis dans l'enfance sont encore vivaces, toujours douloureux. Agnès Cagnati est née à Monclar d'Agenais. Dans le récit qu'elle livre, la romancière, d'origine italienne, s'efface devant l'écolière : « À l'école, le monde a basculé. Je ne comprenais rien à ce que l'on me disait, je ne pouvais même pas obéir, je ne savais pas ce que l'on me voulait. Les Français n'avaient plus rien de fascinant. Leur monde était hostile, agressif, ils ne nous voulaient pas [...]. Les autres enfants manifestaient aussi leur aversion, par la dérision, les injures, les poursuites. Mais nous nous battîmes bien sûr [...] Françaises contre étrangères[1]. »

Georges Lopez se souvient d'avoir été un écolier malheureux, longtemps avant de devenir l'instituteur de campagne le plus célèbre de France : « Nous aussi, les fils d'Espagnols, subissions la xénophobie et, certains jours, la sortie de l'école était pour nous une fuite. Sans tourner la tête je pédalais de toutes mes forces sur mon petit vélo pour échapper aux jets de pierres et aux coups de

---

1. A. Cagnati, « Je suis restée une étrangère », *Sud-Ouest Dimanche*, 16 mars 1985, citée par P. Milza, *Voyage en Ritalie*, p. 327-328.

roseau. Les plus grands restaient en arrière pour me protéger. À bout de souffle, je ne m'arrêtais que lorsque mes camarades me rejoignaient. J'écoutais le récit de leur victoire mais je ne me réjouissais pas trop à l'idée qu'un jour ou l'autre je me trouverais seul contre tous. J'entends encore crier ce mot : *Espanyolás !*, insulte majeure chargée de mépris qui m'a poursuivi dans ma scolarité primaire, en dépit des leçons de morale qu'on nous dispensait[1]. »

Il faudrait des volumes entiers pour éditer l'anthologie – ou plutôt le sottisier – des articles, discours, images qui disent le mépris ou la haine de l'autre. Ce qui frappe, c'est leur manque de variété : au fond, les clichés que l'on imagine forgés pour stigmatiser les Nord-Africains ressemblent beaucoup à ceux dont on affublait les migrants européens, une ou deux décennies plus tôt.

L'entassement dans des ghettos urbains de populations repliées sur elles-mêmes ? C'est *Le Cri du Peuple*, journal socialiste, qui, en mars 1885, évoque les conditions d'existence des raffineurs de sucre italiens de Paris en ces termes : « Ils vivent entre eux, ne se mêlant pas à la population, mangent et couchent par chambrées ainsi que des soldats qui

---

1. G. Lopez est l'instituteur du film *Être et avoir*. La citation est extraite de ses souvenirs, *Les Petits Cailloux. Mémoires d'un instituteur*, Stock, 2005, p. 52-53.

campent en pays ennemi [...]. Ils se mettent à huit, dix, quinze dans une chambre ; l'un d'eux est chargé du ménage. La même chambre loge deux chambrées ; une de jour et une de nuit. » Dans l'Ariège, le préfet observe le même phénomène : « En général, les conditions d'hygiène dans lesquelles vivent les travailleurs étrangers sont assez élémentaires. Il est vrai que leurs exigences sanitaires sont loin d'être excessives. Beaucoup de travailleurs louent en commun des pièces où ils sont entassés [1]. »

Bien avant un Jacques Chirac que l'on a connu mieux inspiré, une certaine presse dénonce l'odeur insupportable que dégagent les foyers des étrangers. Un journal lorrain, *L'Étoile de l'Est*, décrit, dans son numéro du 24 juillet 1905, « les vieilles sordides à la peau fripée et aux cheveux rares, qui font mijoter des fritures étranges dans des poêles ébréchées. Toute cette cuisine diabolique passe encore sous le ciel bleu de l'Italie, et fait d'ailleurs partie de la couleur locale des quartiers pauvres de Rome ou Naples. Mais il en est tout autrement en Lorraine où la saleté chronique et la façon de vivre déplorable des Italiens font courir de sérieux dangers de contamination à la population indigène ».

La saleté du logement ? Jacqueline Moran, dans *La Lumière* du 18 mai 1935 : « Logez confortablement des émigrés italiens et ils sauront donner à

---

1. Cité par R. Schor, *L'Opinion française et les étrangers, 1919-1939*, Publications de la Sorbonne, 1985, p. 423.

leur village ce débraillé, cette turbulence, cette malpropreté qui les caractérisent. »

Le manque d'hygiène ? L'avis du préfet de la Gironde, en mars 1925, est sans appel : « L'étranger professe un dédain profond pour l'hygiène. Il serait plus exact de dire qu'il en ignore les règles les plus élémentaires[1]. » Point de vue partagé par Georges Mauco, pour lequel les Espagnols ignorent « les règles les plus élémentaires d'hygiène et la mortalité infantile est terrible[2] ».

Mais comme les Repentants veulent à tout prix prouver que seuls les coloniaux sont stigmatisés, ils ne se privent pas, à l'occasion, de solliciter, voire de détourner les citations qu'ils présentent à l'appui de leur obsession. Le lecteur du *Paris arabe* en aura une preuve accablante, avec cet extrait (p. 101) d'un article publié le 2 septembre 1930 par un journal d'extrême droite de grande diffusion, *L'Ami du peuple* : « Il y a actuellement dans l'agglomération parisienne 70 000 Nord-Africains. La presque totalité est hérédo-syphilitique. Après avoir introduit inconsidérément ces épaves en France, il nous faut à présent les soigner. » Mais, pour parvenir à cette conclusion, nos rigoureux moralistes n'ont pas hésité à se livrer à une petite opération de ciseaux, et deux coupures subrepticement opérées dans ce texte en tordent le sens. Le

---

1. Cité in *ibid.*
2. G. Mauco, *Les Étrangers en France*, p. 423.

voici complété, avec en italiques les passages qui ont été les victimes de leur censure : « Il y a actuellement dans l'agglomération parisienne 70 000 Nord-Africains. *Une formidable proportion de ces malheureux déracinés est atteinte de tuberculose* ; la presque totalité est hérédo-syphilitique. Après avoir introduit inconsidérément ces épaves en France, il nous faut à présent les soigner. *Il en va de même pour les étrangers. Aucune préoccupation d'ordre sanitaire ne figure dans les dispositions relatives au séjour en France de ces gens-là.* »

Pourquoi avoir fait disparaître la référence à la tuberculose ? Serait-ce parce qu'il s'agit d'une maladie moins infamante que la syphilis ? Pourquoi avoir retranché la fin de l'article, sinon parce qu'elle dément l'affirmation d'une vindicte spécifique à l'égard des coloniaux ? Décidément, les régimes totalitaires, qui effaçaient des photographies officielles les personnalités tombées en disgrâce, n'ont pas le monopole d'Anastasie, mais il est vrai que les mauvaises causes appellent toujours de mauvais procédés.

Le propos – dans sa version non censurée – de *L'Ami du peuple* reflète un sentiment très répandu, d'ailleurs, y compris chez les scientifiques, à en juger par les observations de deux médecins publiées dans le *Bulletin de l'Académie de médecine* en 1926 : à l'issue d'une enquête conduite à Paris et dans les grands ports, Marseille, Le Havre, Rouen, Bordeaux, ils concluent que « les indigènes et les étrangers contribuent pour une part qui est loin d'être négligeable, à entretenir et à propager la syphilis en France[1] ».

Pauvres étrangers... Les Polonais, pourtant blancs et chrétiens, sont considérés comme irrémédiablement inassimilables car « un mur invisible » les sépare des Français, au cœur même des corons, sur le carreau ou dans les galeries des mines où ils se côtoient tous les jours. « Un bref salut, et c'est tout... La réponse est nette : aucune assimilation. » La faute, d'ailleurs, leur en incombe car, pour le commissaire spécial de Nantes, « ils n'ont à aucun degré le don de l'assimilation ». Ils sont, en outre, intellectuellement bornés, et il faut les diriger de près : laisser au Polonais « trop d'initiative, c'est s'exposer à voir devenir stériles ses qualités les meilleures ».

C'est vrai aussi des Hongrois, « grands gaillards robustes et sains, d'aspect un peu frustre »[2], que cette définition rapproche de celle que la littérature raciste donne parfois du Noir.

Qui croit que l'Arabe jouant du couteau constitue une image originale se trompe encore. La sauvagerie des Italiens, leur esprit sanguinaire, leur traîtrise sont fréquemment évoqués dans les

---

1. Cité par R. Schor, *L'Opinion française et les étrangers*, p. 419.
2. Cité in *ibid.*, p. 144, 145 et 146.

rubriques des faits divers. En août 1884, un journaliste du *Cri du peuple* déplore qu'il ne se passe « pas une semaine que leurs couteaux n'aient fait quelque victime ». Ce cliché n'est pas le propre des classes populaires. En novembre 1896, se tient à Nice le procès d'un Italien accusé du meurtre d'un Français, son compagnon de travail. Dans son réquisitoire, le procureur de la République de Nice, faussement naïf, s'interroge : « Peut-être l'inculpé a-t-il frappé, comme les Italiens font d'ordinaire, lâchement par-derrière. » Qu'un fait divers défraie la chronique, et c'est toute une population étrangère qui est stigmatisée. En 1927, la cour d'assise de Paris juge dix-neuf Polonais pour une série de délits et de crimes commis d'avril 1924 à juin 1925. Les grands quotidiens de l'époque, *Le Journal*, *Le Matin*, font leurs choux gras de l'affaire à coup de unes sensationnelles sur les « bandits polonais » ou la « bande des Polonais ». *L'Intransigeant* réclame même la constitution d'une brigade spéciale de police pour combattre ces criminels venus de l'Est, d'une dangerosité particulière. Comme Janine Ponty le souligne, le traitement de la délinquance par la presse est différent selon que le délit est commis par un Français ou par un étranger. Dans le titre des articles, « un Français pourra être signalé par sa catégorie professionnelle ou par son lien de parenté avec la victime. Un immigré, jamais ». Sur ce plan, d'ailleurs, « les Polonais ne subissent pas un traitement différent des autres. Espagnols, Hongrois, Algériens, Italiens, tous sont montrés du doigt »[1].

Pourquoi les Repentants s'attachent-ils à faire croire que tous ces poncifs ont été réservés aux indigènes des colonies, sinon pour construire de manière tout à fait artificielle un racisme « colonial » qui se perpétuerait aujourd'hui et dont les jeunes Français arabes et noirs seraient les victimes ?

Il a fallu du temps aux Européens pour se fondre dans la société française et en gravir les échelons. Non pas une ou deux générations, mais plutôt trois, voire quatre. Pour tous, plutôt que d'ascenseur social, c'est d'escaliers qu'il faudrait parler, et d'« escaliers durs aux miséreux », comme ceux de la butte Montmartre. Des escaliers longs à gravir, en tout cas, et tous n'y sont pas parvenus. Voici, parmi les témoignages d'ouvriers agricoles du Loir-et-Cher recueillis par Philippe Rygiel, celui de M. Stanislaw, né en 1919 en Pologne et dont la famille s'installe à Rosières en 1923. Après y avoir effectué sa scolarité, M. Stanislaw se loue comme vacher dans une ferme proche. Puis, à quatorze ans, il se fait embaucher par les établissements Rosières. Monsieur Kazimiez suit un parcours identique : scolarité obligatoire à Rosières, vacher à la sortie de l'école, puis, à quatorze ans, entrée à

---

1. J. Ponty, *Polonais méconnus*, p. 212.

l'usine. Pour l'un comme pour l'autre, cet itiné-raire s'explique par des nécessités économiques : les parents « n'avaient pas les moyens. Et puis pour eux c'était le travail, le salaire. Quand j'ai commencé à travailler je rapportais le salaire à la maison. Ils étaient contents d'avoir ça pour payer les dettes » [1].

Le sort des copains de Cavanna, ces petits Ita-liens de Nogent, n'est guère différent : « Les mômes de la rue de Sainte-Anne [...] se laissent vivre jusqu'à leurs quatorze ans, puisque la [...] République oblige leurs parents à les nourrir jusque-là en s'arrachant le pain de la bouche, et puis ils passent leur certif, pur formalité, à tous les coups le ratent [...] et se retrouvent, dès le lende-main de l'écrit, sans même attendre les résultats, entre les brancards d'un "camion" à bras, ces épaisses carrioles de maçon lourdes comme des tombereaux, la "bricole" en travers de la poitrine, en train de coltiner deux ou trois tonnes d'échafau-dage, de sacs de ciment, de sable, de ferraille vers quelque lointain chantier. L'avenir, c'est pas un problème... Ils seront maçons. S'ils ont les doigts agiles et la tête bonne, ils seront peut-être menui-siers, ou couvreurs-plombiers-zingueurs, ou peintres. Ou peut-être mécaniciens dans un garage,

---

1. P. Rygiel, « Quand Anchise vient de loin : Mobilité socioprofessionnelle de fils d'immigrants d'origine européenne s'étant installés en France durant l'entre-deux-guerres », *Actes de l'histoire de l'immigration*, vol. O, 2000.

c'est un métier d'avenir, mais difficile : l'aristocratie du travail manuel [1]. » Combien de fils, ou petits-fils de Rital, de Polack, de Cloutje, de Pingouin et de Portos se reconnaîtront dans ces quelques mots qui disent, sans *pathos*, la dureté d'une jeunesse de labeur ? Combien d'enfants du Limousin – ces bouffeurs de châtaignes – ou de Bretagne – Bretons têtes de c... ! – arrachés à leur terre par l'exode rural peuvent y lire leur propre histoire ?

Est-on sûr qu'aujourd'hui, pour les jeunes Français que l'on dit issus de l'immigration coloniale ou post-coloniale, l'ascension est plus difficile, plus ségrégative ? Oui ! affirment ceux qui se prétendent les indigènes de la République. L'inventaire des signataires de cet appel, publié par le site internet « Toutesgaux », réserve une surprise de taille : à leur corps défendant, les pétitionnaires témoignent qu'ils sont, eux aussi, les produits de ce creuset français dont on annonce un peu trop vite la faillite ou la disparition. Eux aussi, et c'est heureux, sont des fils et des filles de cette République qu'ils vouent aux gémonies mais qui a assuré leur promotion sociale. Parmi les 942 professions identifiées, que de bacs plus 4 ! 208 étudiants, 119 enseignants, chercheurs, 189 ingénieurs, cadres et techniciens, 49 fonctionnaires, 63 professions libérales (médecins, pharmaciens, architectes, avocats, consultants...), 52 éducateurs ou travailleurs sociaux, 13

---

1. F. Cavanna, *Les Ritals*, Belfond, 1978, p. 159.

infirmiers, 103 employés, 26 artistes, chanteurs ou écrivains, 22 journalistes (dont un journaliste algérien en exil venu se réfugier dans l'enfer post-colonial français !), 20 patrons ou gérants de société, 1 banquier d'affaires, 19 commerçants et artisans, etc. et seulement 30 ouvriers.

Lire la rubrique quotidienne du *Parisien*, « parcours réussi », c'est voir à l'œuvre le creuset français. Celui de Thomas Assiogbon[1] est éclairant. Né il y vingt-cinq ans d'un père béninois et d'une mère martiniquaise, monsieur Assiogbon a « toujours vécu à Orly (Val-de-Marne), cité des Saules. Une des plus chaudes de France d'après la liste de Sarkozy ». Grâce à ses parents qui l'ont « toujours poussé à faire des études en [lui] expliquant que c'était le meilleur moyen de s'en sortir » il est, aujourd'hui, attaché commercial chez Manpower. « Les études, c'est un investissement : ça paye un jour ou l'autre. » Après le bac, un DUT obtenu à l'IUT de Créteil puis une maîtrise d'administration économique et sociale à l'université d'Évry. Ensuite, « tout s'enchaîne très vite : un CDD chez Orange à Ivry, puis l'embauche chez Manpower. Après vingt-cinq ans passés à la cité des Saules, Thomas envisage aujourd'hui d'acheter un appartement dans l'Essonne ».

---

1. « Je ne regretterai jamais d'avoir grandi à Orly », le parcours réussi de Thomas Assiongbon par Julien Duffé, *Le Parisien*, 29 juin 2006.

Loin d'être atypique, ce parcours remarquable est celui de dizaines de milliers de jeunes « issus des banlieues ». Il y a dix ans, Michèle Tribalat a conduit sur le sujet une enquête fouillée qui conserve, aujourd'hui encore, toute sa pertinence. Ses conclusions ? Les trois quarts des hommes originaires d'Algérie ou du Maroc qui sont arrivés en France avant 1975 sont ouvriers, tandis que moins de 6 % appartiennent aux catégories sociales intermédiaires ou supérieures ; à cette date, la proportion des ouvriers dans la population active n'est que de 45 % tandis que celles des catégories intermédiaires ou supérieures s'élève à 24 %. Mais, pour les migrants d'après 1974, la situation est radicalement différente : la proportion des ouvriers chute à 38 % parmi les Algériens et à 45 % pour les Marocains « tandis que 19 % des premiers et 28 % des seconds se classent dans les catégories intermédiaires ou supérieures, avec une majorité exerçant dans le secteur public pour les Algériens ».

Cependant, constatait la démographe, « alors qu'ils ont fait toute leur scolarité dans notre pays, les jeunes d'origine algérienne nés en France connaissent de grosses difficultés et la plus forte précarité. Cela se traduit par un taux de chômage de l'ordre de 40 %, cumulé par une plus forte précarité dans l'emploi ». À niveau de diplôme équivalent, ils sont plus souvent chômeurs que les autres : « 39 % de ceux qui ont un diplôme inférieur au baccalauréat (généralement un CAP ou un BEP) ne trouvent pas de travail, contre un peu plus de 10 % des jeunes d'origine espagnole ou portugaise et des Français »[1].

Cette discrimination à l'embauche témoigne de la réalité d'un racisme qui gangrène certains secteurs de la société française. La difficulté à louer un appartement ou à être accepté dans une boîte de nuit, quand on est noir ou basané ou bien quand on porte un nom qui sonne mal aux oreilles de certains, en est une autre manifestation. La question qui se pose est : d'où vient ce racisme ? Est-il, avant tout, le produit d'un passé colonial avec lequel la France et les Français n'auraient pas rompu ? C'est ce que les Repentants affirment. Jetée aux orties la fracture sociale, oubliée la lutte des classes ! « L'exploitation de l'homme par l'homme », chère à Karl Marx, est démodée. Au musée la CGT ! Place au MRAP ! Car maintenant, c'est la fracture coloniale qui constitue la cassure principale de la société française, c'est elle qui pervertit notre conscience et les pratiques de nos administrations.

« Regardez le plan Borloo, s'indigne Pascal Blanchard, où des militaires sont consultés, en fonction d'une logique sécuritaire, pour les programmes de réhabilitation. Ou encore l'implantation des commissariats de banlieue qui se trouvent désormais, non plus au centre, mais près du RER,

---

1. M. Tribalat, *Faire France, une enquête sur les immigrés et leurs enfants*, La Découverte, 1995, p. 156 et 174 *sq.*

cordon ombilical entre la cité et la ville – comme les casernes, au XIXᵉ siècle, étaient installées à la sortie des villes coloniales, pour mieux contrôler les routes [...]. Le schéma colonial n'est pas une vue de l'esprit, il imprègne encore bien des logiques étatiques [...]. Nous sommes passés du temps des "sauvages" à celui des "indigènes", du temps des "sujets de l'empire" à celui des "fella-ghas", du "travailleur immigré" aux "sauvageons". La boucle semble bouclée[1]. »

Les militaires consultés pour un aménagement urbain dans une logique sécuritaire, quel scoop ! La Bastille, ce symbole de l'Ancien Régime, a été construite par hasard au débouché du populeux et remuant faubourg Saint-Antoine, surtout pas pour le surveiller et contrôler la voie qui, partant du château de Vincennes, conduit au Palais-Royal. Le grand réaménagement de Paris, conçu par le préfet Haussmann, visait seulement à moderniser et à embellir la ville, à fluidifier sa circulation. Seuls quelques esprits mal tournés peuvent imaginer que d'autres raisons justifiaient ces grands travaux : empêcher la construction des barricades, faciliter la répression des émeutes populaires, en permettant à l'artillerie de prendre position et à la cavalerie de se déployer.

Comment nier, cependant, ces propos du fon-dateur de la Vᵉ République, prescrivant à son

---

1. Propos reproduits, sans aucune réserve, par D. Vidal et K. Bourtel, *Le Mal-Être arabe*, p. 80.

ministre de la Justice de limiter « l'afflux des Méditerranéens et des Orientaux », car sa France « c'est un peuple européen de race blanche, de culture grecque et latine, de religion chrétienne » ? N'est-ce pas la preuve, pour les auteurs de *La République coloniale*[1] que pour le général de Gaulle, qui n'imaginait pas que son village pût s'appeler Colombey-les-deux-Mosquées, la France devait tenir à l'écart l'immigration coloniale ou post-coloniale ?

Deux citations isolées de leur contexte et tout est dit.

Inutile, donc, d'évoquer cette clause des accords d'Évian qui étend aux Algériens, devenus des étrangers avec l'indépendance de leur pays, les privilèges accordés deux ans auparavant aux ressortissants des colonies d'Afrique noire et de Madagascar : la faculté de s'installer librement en France et d'y jouir de tous les droits des citoyens français à l'exception des droits politiques ; le droit de faire reconnaître, à tout moment, leur nationalité française.

Inutile de rappeler que 400 000 Algériens prennent le chemin de l'ancienne métropole coloniale entre 1962 et 1972, tandis que s'amorce également, en ce début des années 1960, une immigration noire, notamment en provenance des anciennes colonies d'Afrique. Tout cela compte

---

1. N. Bancel, P. Blanchard et F. Vergès, *La République coloniale*, p. 40-41.

peu. Ce qui importe, ce n'est pas de reconnaître que la France a très largement ouvert son territoire à ses anciens colonisés, qu'elle leur a offert la possibilité de devenir des citoyens à part entière. Ce qui importe, c'est de dresser le portrait d'un de Gaulle raciste pour mieux dénoncer les travers de la République et du peuple français.

La colonisation repose sur le racisme, disent les Repentants. La France a été une puissance coloniale, donc la France est raciste. L'école de Jules Ferry n'a-t-elle pas enseigné aux petits Français, des générations durant, que l'humanité est divisée en races, la race blanche, la plus parfaite, étant supérieure aux autres ? Banania, le tirailleur sénégalais, n'est-il pas un grand enfant, sympathique mais demeuré ? Comment, après tout cela, imaginer que nos grands-parents n'étaient pas racistes ? Beau syllogisme mais qui omet une chose : expositions coloniales, publicités, livres d'aventure, rien n'y a fait, les Français sont très largement restés imperméables à l'idéologie impériale. Au grand regret du lobby colonial, qui ne cesse de le déplorer !

Certes, les travailleurs coloniaux, bicots, bougnoules et autres négros, n'ont pas échappé aux manifestations d'hostilité ou de rejet dont les étrangers ont été la cible. Pendant la Première Guerre mondiale, ne leur reproche-t-on pas d'être des « planqués » et d'occuper à l'usine, la place d'un époux ou d'un père maintenu au front ?

Durant les périodes de chômage ne sont-ils pas noyés dans la masse des immigrés, accusés de voler le pain des Français ?

Mais quel souvenir un de ces Algériens immigrés à Paris au cours des années 1920 a-t-il conservé ? Celui du racisme des Français côtoyés à l'usine ou dans le métro ? « Nous étions unanimes à nous réjouir de l'attitude de sympathie des populations à notre égard, et à faire une grande différence entre les colons d'Algérie et le peuple français dans leur comportement avec nous. Les gens nous manifestaient du respect et même une grande considération mêlée de sympathie. » Paroles d'un « béni-oui-oui » aux ordres de l'administration ? Non. Éloge du peuple français extrait des *Mémoires* de Messali Hadj[1], le père fondateur du nationalisme algérien lui-même !

D'autres sources signalent cette « sympathie », cette fois pour s'en inquiéter. En juillet 1919, l'administrateur de la commune mixte de Ténès rapporte que les Algériens de sa commune, revenus de France, « ont été particulièrement sensibles aux marques d'affabilité et de politesse, quelquefois exagérées, que leur ont prodiguées nos compatriotes, ignorants de leurs mœurs et de leur esprit ; mais ces démonstrations auxquelles ils n'étaient pas accoutumés les ont conduits, par comparaison, à

---

1. Cité par B. Stora, *Ils venaient d'Algérie*, Fayard, 1992, p. 15.

penser que les Algériens, les colons en particulier, n'avaient pas pour eux les égards qu'ils méritaient. Un simple khamès débarquant en France devenait un "sidi" [...]. Il est donc indéniable que le séjour en France des travailleurs coloniaux les a rapprochés des Français de la métropole [1] ».

Autre témoignage, celui de Claude Poperen, qui entre à Renault-Billancourt en septembre 1949. Pour le futur responsable de la CGT de l'usine, l'immigration algérienne est une découverte. À Nantes, sa ville natale, « les ouvriers algériens, on ne connaissait pas ». À Billancourt au contraire, ils sont déjà des milliers. Mais « il n'y avait aucun problème, bon de temps en temps "bicot" quoi, mais enfin non, il n'y avait aucun problème. Fallait débrayer, tout le monde partait [...]. C'était l'osmose » [2]. Quelle meilleure preuve, d'ailleurs, de cette « osmose » que le grand nombre d'Algériens élus délégués syndicaux, délégués du personnel ou au comité d'entreprise, y compris dans des ateliers où ils sont loin de constituer la majorité du personnel ?

Tous ces témoignages invitent à prendre avec des pincettes l'idée selon laquelle le passé colonial

---

1. CAOM, Alger, 2 I 49, Enquête sur l'état d'esprit des travailleurs coloniaux revenus dans la colonie. Enquête prescrite par le gouverneur général, 31 juillet 1919. Administrateur C.-M. de Ténès, 16 août 1919.

2. Recueilli par L. Pitti, *Ouvriers algériens à Boulogne-Billancourt*, p. 348.

de la France fut le terreau des manifestations actuelles du racisme. Ainsi Yvan Gastaut[1] a-t-il établi que l'idée d'une inégalité des races, qui a accompagné la conquête coloniale et l'a parfois justifiée, est marginale dans l'opinion publique française depuis le début des années 1970, cédant la place à un « racisme justifié par la différence culturelle ». Selon un sondage BVA, effectué en novembre 1996, 42 % des Français estiment que tous les êtres humains font partie de la même race, 37 % qu'il existe plusieurs races égales entre elles et seuls 18 % qu'il existe plusieurs races pas toutes égales entre elles (3 % de sans opinion). Mais, en même temps, l'étude des sondages à laquelle cet auteur s'est attelé montre, même en tenant compte de leur marge d'incertitude, une très grande tolérance générale des Français à l'égard des « autres » et une ouverture d'esprit plutôt large. En 1984, à l'IFRES, qui leur demande s'ils sont « personnellement gêné par le voisinage d'une autre race que la vôtre ? » 27 % répondent par l'affirmative et 67 % répondent « non ». La même année, 40 % des Français accepteraient « facilement » qu'un de leurs enfants épouse « une personne d'une autre race » contre 47 % qui s'y résigneraient difficilement. En 1986, 80 % des Français interrogés par l'institut Louis Harris estiment qu'il n'est pas nécessaire

---

1. Y. Gastaut, *L'Immigration et l'opinion en France sous la Ve République*, Le Seuil, 2000.

d'être de race blanche pour être un « vrai Français ». Ils sont 70 % à juger qu'il n'est pas indispensable d'être né en France ou de parler correctement le français.

Au début des années 1990, 70 % des Français « de souche » voient avec sympathie les « Asiatiques » et les « Noirs ». Cette largeur de vue connaît toutefois une limite : seulement 50 % englobent les « Maghrébins » dans ce sentiment, tandis que plus de 40 % les jugent « antipathiques ». On constate donc, en premier lieu, une solution de continuité entre les représentations péjoratives des Africains du XIXe siècle et celles, globalement positives, des années 1970. Le racisme anti-noir que l'on peut noter aujourd'hui n'est donc pas le produit du passé colonial de la France, mais celui des difficultés que la société française rencontre depuis trois décennies.

Il reste, en second lieu, à expliquer cette « exception algérienne » et, plus largement, le racisme anti-arabe qui ressort de cette enquête.

La réponse est peut-être à chercher dans les séquelles de la guerre d'Algérie. Au cours de celle-ci l'image des Algériens s'est indiscutablement dégradée. Si les Français sont de plus en plus nombreux à souhaiter « la paix en Algérie » d'abord, puis à admettre l'indépendance de l'Algérie, cela ne signifie pas un soutien aux nationalistes algériens. Difficile, en effet, de soutenir leur combat quand, à n'importe quel moment, l'un des 1 200 000 jeunes

Français du contingent envoyés dans les djebels peut en être la victime. Comment mesurer, sur l'opinion française, les effets du massacre, dans les gorges de Palestro, d'une compagnie de 20 jeunes rappelés du 9e Régiment d'infanterie coloniale, le 18 mai 1956, dont les cadavres mutilés, émasculés sont découverts le lendemain par leurs camarades horrifiés ? Quelles conséquences a eu la guerre sans pitié que les deux frères ennemis du nationalisme algérien – le FLN et le MNA – se sont menée entre 1956 et 1962, sur le sol métropolitain même, avec son cortège quasi quotidien d'attentats, de mitraillages, d'assassinats, qui se solde par 4 000 morts et 10 000 blessés et dont les journaux rendent compte ? Pour le militant syndicaliste et communiste Claude Poperen, déjà cité, chez Renault-Billancourt, « la guerre a quand même créé des problèmes. Il y a eu incontestablement, je ne dirai pas une rupture, mais une brisure entre ouvriers français et algériens[1] ». Il revient aux historiens, prolongeant les travaux pionniers de Benjamin Stora[2], d'explorer cette histoire encore mal connue.

Mais ce qui paraît d'ores et déjà assuré, c'est que les racines historiques du racisme anti-arabe à l'œuvre aujourd'hui – qu'il ne faut ni sous-estimer

---

1. Cité par L. Pitti, *Ouvriers algériens à Boulogne-Billancourt*, p. 348.
2. En particulier B. Stora, *La Gangrène et l'oubli*, La Découverte, 1998.

ni généraliser – ne se trouvent pas dans la profondeur du temps colonial.

Quant à l'islamophobie dont le MRAP et quelques autres nous rebattent les oreilles, elle n'est en rien la survivance d'une culture coloniale, plutôt islamophile, à la manière d'un Augustin Berque, qui faisait preuve de curiosité humaniste. Sa construction, au contraire, est récente. Elle est, d'abord, le produit de l'ignorance. Elle est, surtout, une réaction de crainte – pas totalement injustifiée au demeurant – alimentée par la violence des fondamentalistes et autres talibans et jihadistes.

Comment ne pas s'inquiéter, en effet, de la férocité du régime iranien à l'égard de ses opposants ? de la fatwa condamnant à mort le grand écrivain Salman Rushdie ? des arrestations des modernistes égyptiens et de l'assassinat de l'un d'entre eux – Farag Foda, en 1993 –, ou encore de la tentative contre Youssef Chahine ? Faut-il admettre l'assassinat de Théo Van Gogh aux Pays-Bas et passer par pertes et profits le saccage par les talibans des statues géantes de Bouddha, ce patrimoine culturel de l'humanité, ainsi que l'effarante attaque contre la liberté de la presse – et de la pensée tout court – qui a pris prétexte de la publication de caricatures de Mahomet ? Comment ne pas s'inquiéter également lorsque dans un pays, le Nigeria, certaines provinces appliquent la charia (c'est-à-dire les châtiments corporels, la lapidation des femmes condamnées pour adultère, etc.) et que les nouveaux maîtres de la Somalie veulent en faire autant ?

Comment oublier les horreurs de la guerre civile qui a déchiré l'Algérie ? Comment oublier enfin les attentats jihadistes qui ont ensanglanté New York le 11 septembre 2001, Madrid le 11 mars 2004, Londres le 7 juillet 2005, Bombay le 11 juillet 2006 ?

Comment exiger de l'opinion publique qu'elle trace une frontière nette entre les fondamentalistes, les jihadistes et les musulmans « tranquilles », alors que ces derniers se mobilisent bien peu pour condamner les premiers ? Et pourtant ! Les sondages sont unanimes à relever que les musulmans de France ne font l'objet d'aucun rejet massif.

Prétendre que les Français doivent faire acte de repentance pour expier la page coloniale de leur histoire et réduire les fractures de la société française relève du charlatanisme ou de l'aveuglement. Cela conduit à ignorer les causes véritables du mal et empêche donc de lui apporter les remèdes nécessaires. Le risque est grand, alors, de voir une partie des Français, bien persuadés qu'ils seront à jamais les indigènes d'une République irrémédiablement marquée du sceau de l'infamie coloniale, vouloir faire table rase et jeter, en même temps, nos institutions et le principe sur lequel elles reposent depuis la Révolution française : l'égalité en droit des individus. Belle révolution en perspective – peut-être même déjà en cours –, qui amènerait à créer en France un patchwork de communautés, avec leurs spécificités, leurs règles, leurs droits, leur police et leur justice – à l'appartenance desquelles les individus seraient assignés, avec ou sans leur accord. Une France, grâce à l'action du MRAP, définitivement débarrassée de l'horreur laïque, où chacun pourrait exhiber au sein des établissements scolaires ses convictions religieuses ou politiques. Une France où l'on serait blanc, noir ou arabe, chrétien, juif ou musulman – éventuellement athée – avant d'être français. Bref, une France de l'Apartheid.

Table

Imprimé en France par CPI
en octobre 2018

Composition et mise en page

NORD COMPO
m u l t i m é d i a

Dépôt légal : février 2008
N° d'édition : L.01EHQN000172.B006
N° d'impression : 149750